A-Z BLACKBURN

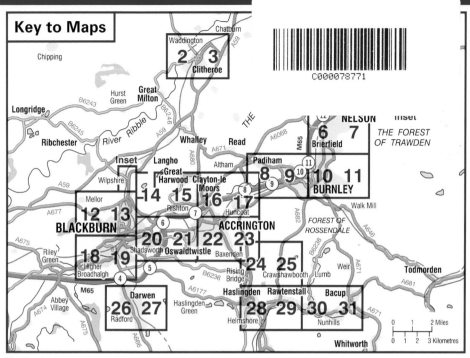

Key to Maps

C000078771

Reference

Motorway	M65
A Road	A679
Proposed	
B Road	B6234
Dual Carriageway	
One-way Street Traffic flow on A Roads is indicated by a heavy line on the driver's left.	➡
Restricted Access	
Pedestrianized Road	
Track & Footpath	
Residential Walkway	
Railway Station / Heritage Station / Level Crossing / Tunnel	

Built-up Area	RYDAL RD.
Local Authority Boundary	
Postcode Boundary	
Map Continuation	12
Car Park (Selected)	P
Church or Chapel	†
Fire Station	■
House Numbers (A & B Roads Only)	246 213
Hospital	H
Information Centre	i
National Grid Reference [3]45	

Police Station	▲
Post Office	★
Toilet with Disabled Facilities	▽ ♿
Viewpoint	☀
Educational Establishment	
Hospital or Hospice	
Industrial Building	
Leisure or Recreational Facility	
Place of Interest	
Public Building	
Shopping Centre or Market	
Other Selected Buildings	

Scale 1:19,000

3⅓ inches (8.47 cm) to 1 mile
5.26 cm to 1 kilometre

Geographers' A-Z Map Company Limited

Head Office :
Fairfield Road, Borough Green, Sevenoaks, Kent TN15 8PP
Tel: 01732 781000 (General Enquiries & Trade Sales)
Showrooms :
44 Gray's Inn Road, London WC1X 8HX
Tel: 020 7440 9500 (Retail Sales)
www.a-zmaps.co.uk

EDITION 2 2000
Copyright © Geographers' A-Z Map Co. Ltd. 2000

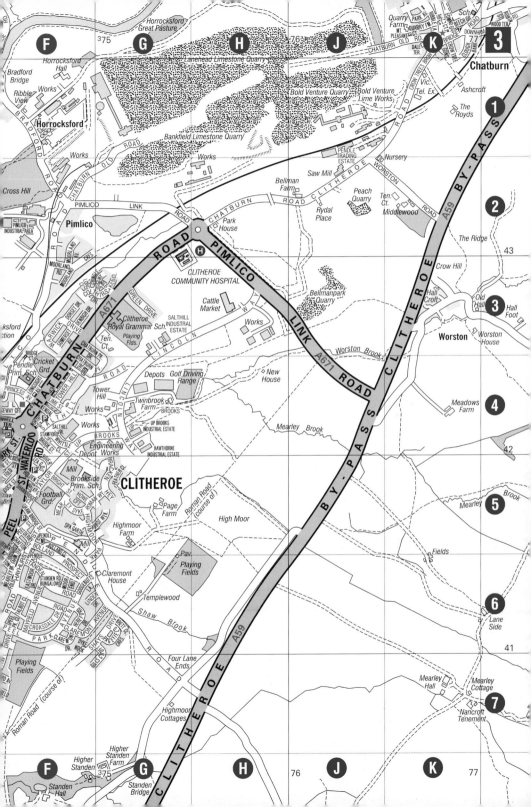

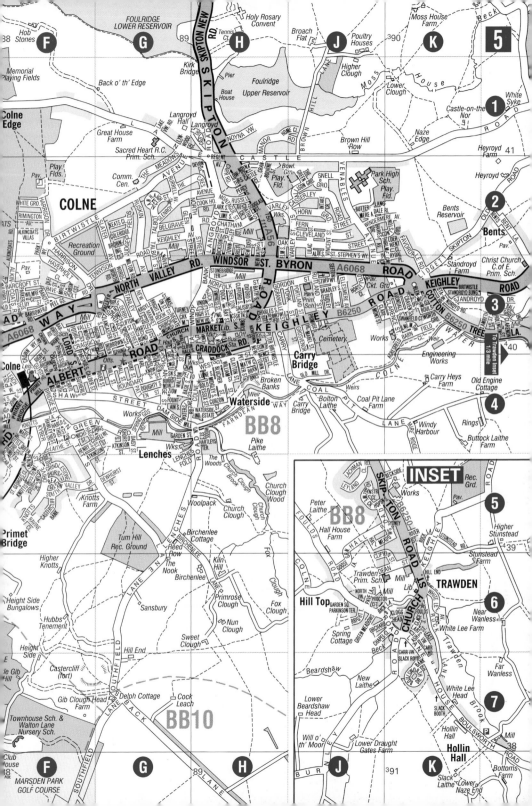

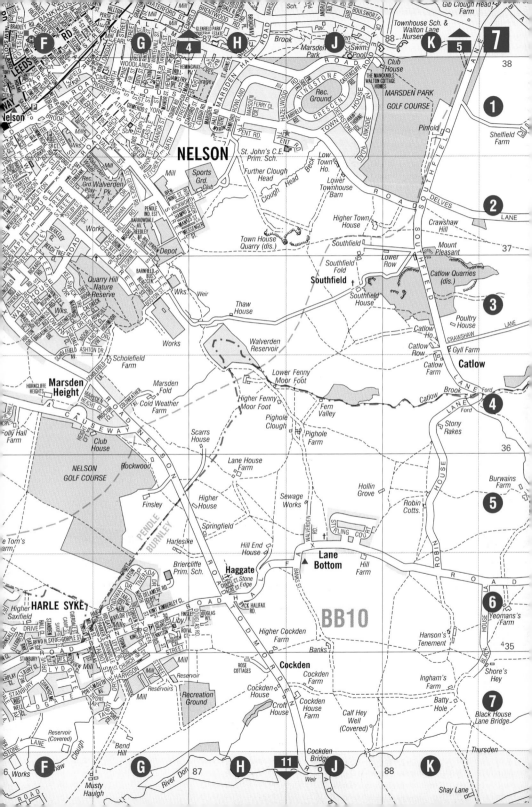

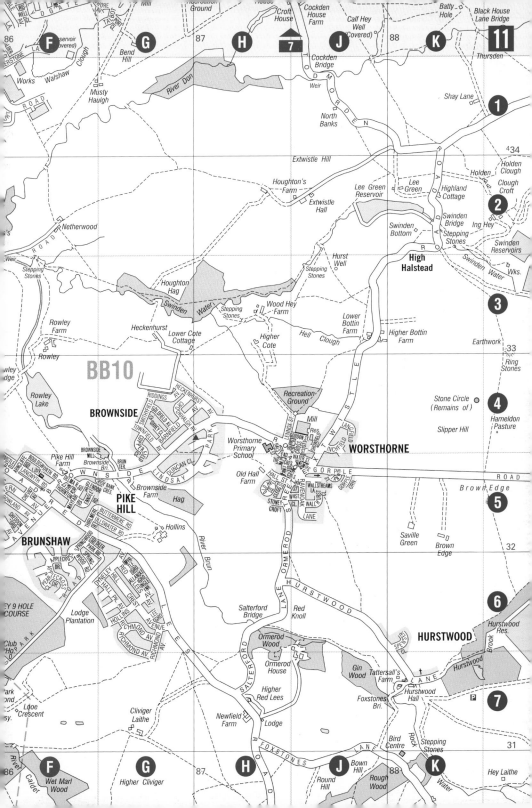

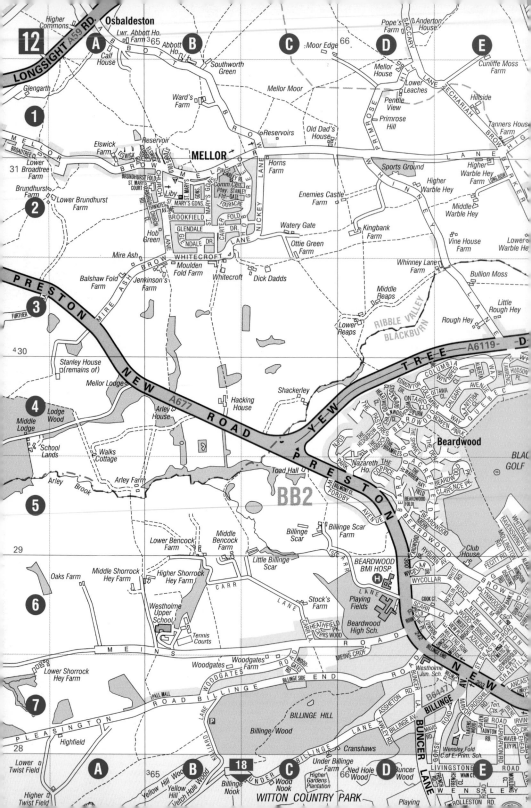

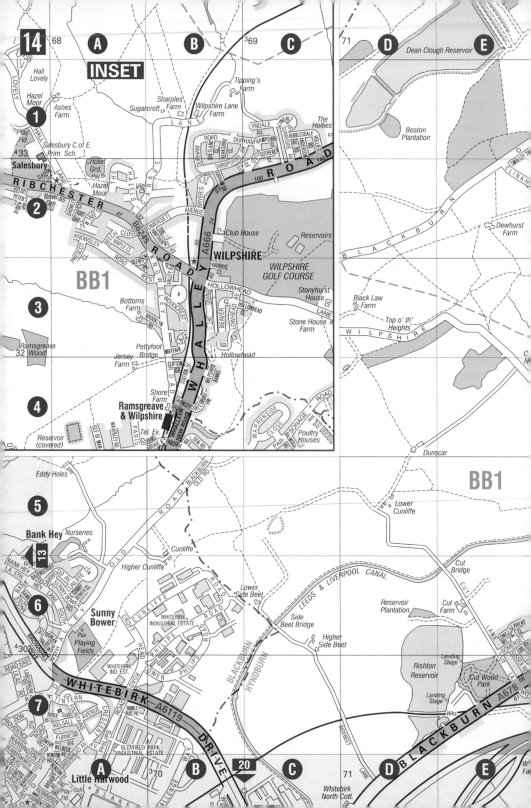

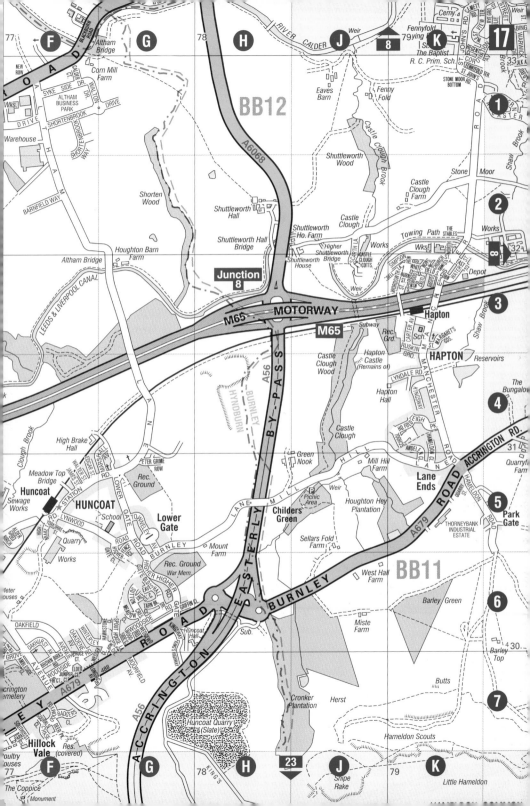

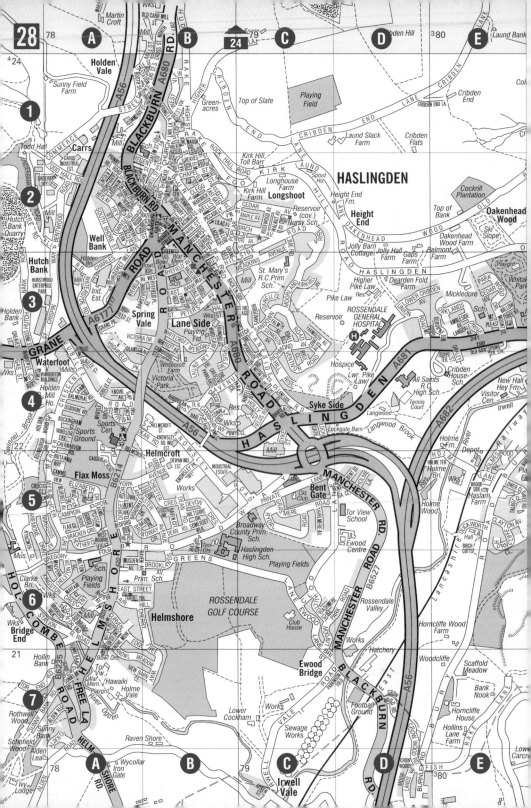

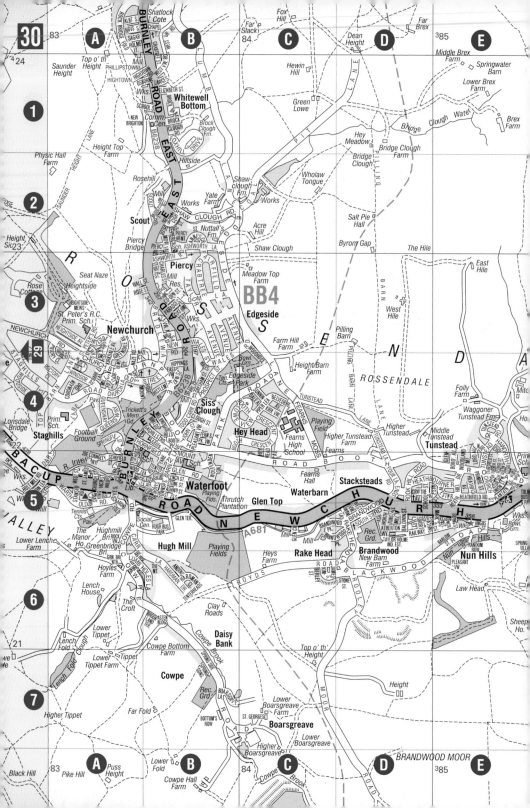

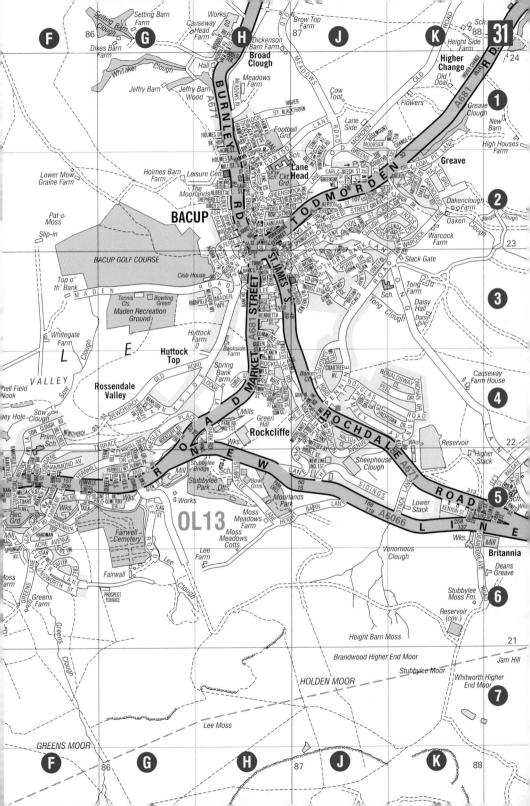

INDEX

Including Streets, Selected Subsidiary Addresses
and Selected Places of Interest.

HOW TO USE THIS INDEX

1. Each street name is followed by its Posttown or Postal Locality and then by its map reference; e.g. Abbey Cres. *Dar* —5G **27** is in the Nottingham Posttown and is to be found in square 5G on page **27**. The page number being shown in bold type. A strict alphabetical order is followed in which Av., Rd., St., etc. (though abbreviated) are read in full and as part of the street name; e.g. Alderford Clo. appears after Alder Bank. but before Alder St.

2. Streets and a selection of Subsidiary names not shown on the Maps, appear in the index in *Italics* with the thoroughfare to which it is connected shown in brackets; e.g. *Abbeyfield. Burn —6C* **10***(off Oxford Rd.)*

3. An example of a selected place of interest is Bacup Golf Course —3F 31

GENERAL ABBREVIATIONS

All : Alley	Ct : Court	Lit : Little	Rd : Road
App : Approach	Cres : Crescent	Lwr : Lower	Shop : Shopping
Arc : Arcade	Cft : Croft	Mc : Mac	S : South
Av : Avenue	Dri : Drive	Mnr : Manor	Sq : Square
Bk : Back	E : East	Mans : Mansions	Sta : Station
Boulevd : Boulevard	Embkmt : Embankment	Mkt : Market	St : Street
Bri : Bridge	Est : Estate	Mdw : Meadow	Ter : Terrace
B'way : Broadway	Fld : Field	M : Mews	Trad : Trading
Bldgs : Buildings	Gdns : Gardens	Mt : Mount	Up : Upper
Bus : Business	Gth : Garth	Mus : Museum	Va : Vale
Cvn : Caravan	Ga : Gate	N : North	Vw : View
Cen : Centre	Gt : Great	Pal : Palace	Vs : Villas
Chu : Church	Grn : Green	Pde : Parade	Vis : Visitors
Chyd : Churchyard	Gro : Grove	Pk : Park	Wlk : Walk
Circ : Circle	Ho : House	Pas : Passage	W : West
Cir : Circus	Ind : Industrial	Pl : Place	Yd : Yard
Clo : Close	Info : Information	Quad : Quadrant	
Comn : Common	Junct : Junction	Res : Residential	
Cotts : Cottages	La : Lane	Ri : Rise	

POSTTOWN AND POSTAL LOCALITY ABBREVIATIONS

Acc : Accrington	*Clough* : Cloughfold	Love : Lovecloough	*Sam* : Samlesbury
Alt : Altham	*Col* : Colne	*Lwr D* : Lower Darwen	*S'stne* : Simonstone
Alt W : Altham West	*Craw* : Crawshawbooth	*Mel* : Mellor	*Stac* : Stacksteads
Bacup : Bacup	*Dar* : Darwen	*Mel B* : Mellor Brook	*S'fld* : Southfield
Barfd : Barrowford	*Dunn* : Dunnockshaw	*Nels* : Nelson	*Stone* : Stonefold
Bas E : Bashall Eaves	*E'hill* : Ecclesshill	*New H* : New Hall Hey	*Traw* : Trawden
Bax : Baxenden	*Fence* : Fence	*Newc* : Newchurch	*Tow F* : Townsend Fold
B'brn : Blackburn	*Fen* : Feniscowles	*Osw* : Oswaldtwistle	*Wadd* : Waddington
Black : Blacko	*Good* : Goodshaw	*Pad* : Padiham	*Waterf* : Waterfoot
Brclf : Briercliffe	*Gt Har* : Great Harwood	*Pick B* : Pickup Bank	*Waters* : Waterside
Brier : Brierfield	*Guide* : Guide	*Pleas* : Pleasington	*W Brad* : West Bradford
Burn T : Burnham Trad. Pk.	*Hap* : Hapton	*Ram* : Ramsbottom	*Whal* : Whalley
Burn : Burnley	*Has* : Haslingden	*Rams* : Ramsgreave	*Whi I* : Whitebirk Ind. Est.
Chat : Chatburn	*Helm* : Helmshore	*Raw* : Rawtenstall	*Whit I* : Whitewalls Ind. Est.
Cher T : Cherry Tree	*Hodd* : Hoddlesden	*Read* : Read	*Whit B* : Whitewell Bottom
Chu : Church	*Holc* : Holcombe	*Reed* : Reedsholme	*Wilp* : Wilpshire
Clay D : Clayton le Dale	*Hun* : Huncoat	*Rish* : Rishton	*W'gll* : Withgill
Clay M : Clayton le Moors	*Hun I* : Huncoat Ind. Est.	*Ris B* : Rising Bridge	*Wors* : Worsthorne
Clith : Clitheroe	*Int* : Intack	*Ross* : Rossendale	
Cliv : Cliviger	*Live* : Livesey	*Sale* : Salesbury	

INDEX

Abbey Cres. *Dar* —5G **27**
Abbeyfield. Burn —6C **10**
  (off Oxford Rd.)
Abbeyfield Ho. Burn —5K **9**
  (off Harriet St.)
Abbey Pl. *Dar* —5G **27**
Abbey St. *Acc* —2D **22**
Abbey St. *Bacup* —1H **31**
Abbots Clo. *Ross* —1G **29**
Abbots Clough Av. *B'brn* —4D **20**
Abbotsford Av. *B'brn* —4G **19**
Abbott Brow. *Mel* —1A **12**
Abbott Clough Clo. *B'brn*
  —4D **20**
Abbot Wlk. *Clith* —5F **3**
Abel St. *Burn* —1B **10**
Aberdare Clo. *B'brn* —5H **13**
Aberdeen Dri. *B'brn* —1K **19**
Abingdon Rd. *Pad* —3C **8**
Abinger St. *Burn* —1D **10**
Abraham St. *Acc* —3C **22**
Abraham St. *B'brn* —3H **19**

Acacia Wlk. B'brn —3A **20**
  (off Longton St.)
Accrington & District Golf Course.
  —1H 21
Accrington Easterley By-Pass. *Acc*
  —7G **17**
Accrington Rd. *B'brn* —3A **20**
Accrington Rd. *Burn & Hap* —5K **17**
Accrington Stanley F.C. —7C **16**
  (Crown Ground)
Acorn Av. *Osw* —5A **22**
Acorn St. *Bacup* —3H **31**
Acorn St. *B'brn* —4A **20**
Acre Av. *Bacup* —5F **31**
Acrefield. *B'brn* —5D **12**
Acrefield. *Pad* —1B **8**
Acre Mill Rd. *Bacup* —5F **31**
Acresfield. *Col* —3K **5**
Acre St. *Brclf* —6H **7**
Acre St. *Burn* —1C **10**
Acre Vw. *Bacup* —5F **31**
Active Way. *Burn* —4A **10**
Adamson St. *Burn* —4H **9**

Adamson St. *Pad* —1B **8**
Ada St. *B'brn* —7F **13**
Ada St. *Burn* —1C **10**
Ada St. *Nels* —3F **7**
Addington St. *B'brn* —7K **13**
Addison Clo. *B'brn* —7F **13**
Addison St. *Acc* —1D **22**
Addison St. *B'brn* —7F **13**
  (in two parts)
Adelaide La. *Acc* —3D **22**
Adelaide St. *Acc* —3D **22**
Adelaide St. *Burn* —4J **9**
Adelaide St. *Clay M* —6B **16**
Adelaide St. *Ross* —5G **25**
Adelaide Ter. *B'brn* —7F **13**
Adelphi St. *Burn* —3B **10**
Adlington St. *Burn* —4B **10**
Admiral St. *Burn* —5C **10**
Agate St. *B'brn* —3J **13**
Agnes St. *B'brn* —2F **19**
Ailsa Rd. *B'brn* —5C **20**
Ainsdale Av. *Burn* —4D **6**
Ainsdale Dri. *Dar* —7F **27**

Ainslie Clo. *Gt Har* —2G **15**
Ainslie St. *Burn* —4H **9**
Ainsworth Mall. *B'brn* —7H **13**
  (off Ainsworth St.)
Ainsworth St. *B'brn* —7H **13**
Aintree Dri. *Lwr D* —6K **19**
Airdrie Cres. *Burn* —6J **9**
Airey St. *Acc* —5E **22**
Aitken St. *Acc* —1D **22**
Aitken St. *Ram* —7C **28**
Alan Haigh Ct. *Col* —2G **5**
Alan Ramsbottom Way. *Gt Har*
  —3J **15**
Alaska St. *B'brn* —3H **19**
Albany Rd. *B'brn* —6E **12**
Albemarle Ct. *Clith* —5D **2**
Albemarle St. *Clith* —5D **2**
Alberta Clo. *B'brn* —4E **12**
Albert Pl. *Lwr D* —6J **19**
Albert Rd. *Col* —4F **5**
Albert Rd. *Ross* —4G **25**
Albert St. *Acc* —3D **22**
Albert St. *B'brn* —3F **19**

Albert St. *Brier* —4C **6**
Albert St. *Burn* —4C **10**
Albert St. *Chu* —2K **21**
Albert St. *Clay M* —5A **16**
Albert St. *Dar* —7F **27**
Albert St. *Gt Har* —3J **15**
Albert St. *Hodd* —4K **27**
Albert St. *Nels* —1E **6**
Albert St. *Osw* —4K **21**
Albert St. *Pad* —2B **8**
Albert St. *Rish* —6G **15**
Albert St. *Ross* —1A **30**
Albert Ter. *Bacup* —2H **31**
Albert Ter. *Barfd* —5A **4**
Albert Ter. *Clough* —3H **29**
Albion Ct. *Burn* —6K **9**
Albion Rd. *B'brn* —4G **19**
Albion St. *Acc* —2C **22**
Albion St. *Bacup* —2J **31**
Albion St. *B'brn* —4F **19**
Albion St. *Brier* —4C **6**
Albion St. *Burn* —6K **9**
Albion St. *Clith* —5F **3**
Albion St. *Nels* —1E **6**
Albion St. *Pad* —3C **8**
Albion St. *Stac* —5E **30**
Albion Ter. *Burn* —5A **10**
  (off Albion St.)
Alden Clo. *Helm* —7A **28**
Alden Ri. *Ross* —7A **28**
Alden Rd. *Ross* —7A **28**
Alder Av. *Ross* —3H **29**
Alder Bank. *B'brn* —1E **18**
Alder Bank. *Nels* —2D **6**
Alder Bank. *Ross* —2G **29**
Alderford Clo. *Clith* —6C **2**
Alder Gro. *Acc* —5F **17**
Alderney Clo. *B'brn* —4E **18**
Alder St. *Bacup* —2H **31**
Alder St. *B'brn* —5K **13**
Alder St. *Burn* —4H **9**
Alder St. *Ross* —2H **29**
Aldwych Pl. *B'brn* —2J **13**
Alexander Clo. *Acc* —7F **23**
Alexander Gro. *Burn* —4G **9**
Alexander St. *Nels* —6D **4**
Alexandra Clo. *Clay M* —4K **15**
Alexandra Ho. *B'brn* —5A **20**
Alexandra Pl. *Gt Har* —1J **15**
Alexandra Rd. *B'brn* —6F **13**
Alexandra St. *Clay M* —3K **15**
Alexandra Vw. *Dar* —3D **26**
Alexandria St. *Ross* —1F **29**
Alfred St. *Dar* —7F **27**
Algar St. *Nels* —6C **4**
Alice St. *Acc* —1E **22**
Alice St. *Dar* —5E **26**
Alice St. *Osw* —5K **21**
Alkincoats Rd. *Col* —3F **5**
Alkincoats Vs. *Col* —2F **5**
Allan Critchlow Way. *Rish* —5G **15**
Allandale Gro. *Burn* —6G **11**
Allan St. *Bacup* —4H **31**
Allen Ct. *Burn* —2B **10**
  (off Allen St.)
Allendale St. *Burn* —4G **9**
Allendale St. *Col* —2J **5**
Allen St. *Burn* —2B **10**
  (in two parts)
Allerton Clo. *Dar* —3E **26**
Allerton Dri. *Burn* —4J **9**
Alleys Grn. *Clith* —4E **2**
Alleytroyds. *Chu* —3K **21**
Alliance St. *Acc* —7G **23**
Allison Gro. *Col* —2J **5**
All Saints Clo. *Burn* —3E **8**
All Saints Clo. *Osw* —4G **21**
All Saints Clo. *Ross* —3G **25**
Allsprings Clo. *Gt Har* —1J **15**
Allsprings Dri. *Gt Har* —1J **15**
Alma Pl. *Clith* —6D **2**
Alma St. *Bacup* —3H **31**
Alma St. *B'brn* —7G **13**
Alma St. *Clay M* —4A **16**
Alma St. *Pad* —1A **8**
Almond Cres. *Ross* —5F **29**
Almond St. *Dar* —5E **26**
Alnwick Clo. *B'brn* —3K **9**
Alpha St. *Dar* —5F **27**

Alpha St. *Nels* —6C **4**
Alpine Clo. *Hodd* —4J **27**
Alpine Gro. *B'brn* —5E **18**
Altham Bus. Pk. *Alt* —1F **17**
Altham Cvn. Site. *Acc* —6D **16**
Altham Ind. Est. *Alt* —1E **16**
Altham La. *Alt & Acc* —1F **17**
Altham St. *Burn* —2B **10**
Altham St. *Pad* —2C **8**
Altom St. *B'brn* —6H **13**
Alwin St. *Burn* —5K **9**
Amber Av. *B'brn* —2J **13**
Amberley St. *B'brn* —3F **19**
Amberwood Dri. *B'brn* —4D **18**
Ambleside Av. *Ross* —3E **28**
Ambleside Clo. *Acc* —7F **17**
Ambleside Clo. *B'brn* —6K **13**
Ambleside Dri. *Dar* —2G **27**
Amelia St. *B'brn* —2A **20**
Amersham Gro. *Burn* —5E **6**
Amethyst St. *B'brn* —2H **13**
Anchor Av. *Dar* —1C **26**
Anchor Gro. *Dar* —1C **26**
Anchor Retail Pk. *Burn* —4A **10**
Anchor Rd. *Dar* —1C **26**
Andelen Clo. *Hap* —7B **8**
Anderson Clo. *Bacup* —4H **31**
Anderson Rd. *Wilp* —1C **14**
Anderton Clo. *Ross* —6B **30**
Andrew Av. *Ross* —4F **29**
Andrew Clo. *B'brn* —5E **18**
Andrew Rd. *Nels* —7E **4**
Andrew's Ct. *Burn* —6B **10**
Anemone Dri. *Has* —5A **28**
Angela St. *B'brn* —4E **18**
Angel Way. *Col* —3H **5**
  (off King St.)
Anglesey Av. *Burn* —3F **9**
Anglesey Clo. *B'brn* —5E **18**
Angle St. *Burn* —2B **10**
Anglian Clo. *Osw* —3H **21**
Angus St. *Bacup* —5E **30**
Annarly Fold. *Wors* —5H **11**
Anne Clo. *Burn* —5C **10**
Anne St. *Burn* —5C **10**
Annie St. *Acc* —1D **22**
Annie St. *Ross* —3G **29**
Ann St. *Barfd* —5A **4**
Ann St. *Brier* —3C **6**
Ann St. *Clay M* —4A **16**
Ansdell Ter. *B'brn* —4H **19**
Antigua St. *Lwr D* —7J **19**
Anvil St. *Bacup* —5G **31**
Anyon St. *Dar* —2F **27**
Appleby Clo. *Acc* —3E **22**
Appleby Dri. *Barfd* —4A **4**
Appleby St. *B'brn* —7K **13**
Appleby St. *Nels* —1E **6**
Apple Clo. *B'brn* —1F **19**
Applecross Dri. *Burn* —6F **11**
Apple St. *B'brn* —1F **19**
Apple Tree Way. *Osw* —3K **21**
Approach Way. *Burn* —7K **9**
Aqueduct Rd. *B'brn* —3F **19**
Arago St. *Col* —1D **22**
Arbories Av. *Pad* —2A **8**
Arbory Dri. *Pad* —1A **8**
Arbour Dri. *B'brn* —7G **19**
Arbour St. *Bacup* —2J **31**
Arboury St. *Pad* —2A **8**
Arcade. *Acc* —3D **22**
  (off Church St.)
Arcadia. *Col* —3H **5**
  (off Market Pl.)
Arch St. *Burn* —4A **10**
Arch St. *Dar* —4E **26**
Ardwick St. *Burn* —1B **10**
Argyle St. *Acc* —2C **22**
Argyle St. *Col* —3G **5**
Argyle St. *Dar* —2D **26**
Arkwright Fold. *B'brn* —5F **19**
Arkwright St. *Burn* —3H **9**
Arley Gdns. *Burn* —3A **10**
Arley Ri. *Mel* —2B **12**
Arlington Rd. *Dar* —5D **26**
Arncliffe Av. *Acc* —4A **22**
Arncliffe Gdns. *Barfd* —5A **4**
Arncliffe Rd. *Burn* —5F **11**
Arndale Shop. Cen. *Nels* —1F **7**

Arnold St. *Acc* —2D **22**
Arnside Clo. *Clay M* —5K **15**
Arnside Cres. *B'brn* —6B **18**
Arran Av. *B'brn* —6C **20**
Arran St. *Burn* —5J **9**
Arthur St. *Bacup* —2K **31**
Arthur St. *B'brn* —1F **19**
Arthur St. *Brier* —4C **6**
Arthur St. *Burn* —4K **9**
Arthur St. *Clay M* —4A **16**
Arthur St. *Gt Har* —1J **15**
Arthur St. *Nels* —7B **4**
Arthur Way. *B'brn* —1F **19**
Arundel St. *Rish* —5F **15**
Ascot Way. *Acc* —3E **22**
Ash Av. *Has* —2C **28**
Ashburnham Rd. *Col* —6D **4**
Ash Clo. *Rish* —7G **15**
Ash Ct. *B'brn* —5K **13**
  (off Plane St.)
Ashendean Vw. *Pad* —1C **8**
Ashfield Rd. *Burn* —4A **10**
Ashford St. *Nels* —2F **7**
Ash Gro. *Dar* —3F **27**
Ash Gro. *Raw* —2G **29**
  (off Prospect Rd.)
Ash La. *Gt Har* —1G **15**
Ashleigh St. *Dar* —7F **27**
Ashley St. *Burn* —3A **10**
Ashmere Clo. *Has* —6C **28**
Ash St. *Bacup* —2H **31**
Ash St. *B'brn* —5K **13**
Ash St. *Burn* —5C **10**
Ash St. *Gt Har* —1H **15**
Ash St. *Nels* —1G **7**
Ash St. *Osw* —4J **21**
Ash St. *Traw* —6K **5**
Ashton Dri. *Nels* —3F **7**
Ashton Ho. *Dar* —5F **27**
Ashton La. *Dar* —5E **26**
Ashton Rd. *Dar* —5F **27**
Ashtree Wlk. *Barfd* —6A **4**
Ashville Ter. *B'brn* —5G **19**
Ashworth Clo. *B'brn* —7F **13**
Ashworth La. *Ross* —2B **30**
Ashworth Rd. *Ross* —3B **30**
Ashworth St. *Acc* —6F **23**
Ashworth St. *Bacup* —2J **31**
Ashworth St. *Rish* —6G **15**
Ashworth St. *Ross* —5J **31**
Ashworth St. *Stac* —5F **31**
Ashworth St. *Waterf* —5B **30**
  (in two parts)
Ashworth Ter. *Bacup* —5D **30**
Ashworth Ter. *Dar* —5D **26**
Ashworth Ter. *Ross* —3B **30**
  (off Burnley Rd.)
Askrigg Clo. *Acc* —2E **22**
Aspen Dri. *Burn* —3D **10**
Aspen Fold. *Osw* —3G **21**
Aspen La. *Osw* —4G **21**
Aspinall Fold. *B'brn* —4H **13**
Aspley Gro. *Traw* —5K **5**
  (off Skipton Rd.)
Assheton Rd. *B'brn* —7D **12**
Asten Bldgs. *Ross* —6B **30**
Aster Chase. *Lwr D* —6K **19**
Astley Ga. *B'brn* —7H **13**
Astley St. *Dar* —6E **26**
Astley Ter. *Dar* —6E **26**
Aston Wlk. *B'brn* —5C **20**
Athens Vw. *Burn* —5D **10**
  (off Athletic St.)
Atherton St. *Bacup* —5D **30**
Atherton Way. *Bacup* —5D **30**
Athletic St. *Burn* —5D **10**
Athol St. *Nels* —1G **7**
Athol St. N. *Burn* —5J **9**
Athol St. S. *Burn* —5J **9**
Atkinson St. *Brclf* —6G **7**
Atkinson St. *Col* —5C **5**
  (in two parts)
Atlas Rd. *Dar* —4E **26**
Atlas St. *Clay M* —6A **16**
Atrium St. *Burn* —6C **10**
Auckland St. *Dar* —6F **27**
Audley Clo. *Nels* —1F **7**
  (off Audley Ct.)
Audley Ct. *Nels* —1F **7**
Audley La. *B'brn* —7K **13**

Audley Range. *B'brn* —1J **19**
Audley St. *B'brn* —7K **13**
Augusta St. *Acc* —4D **22**
Austin St. *Bacup* —3H **31**
  (off Union St.)
Austin St. *Burn* —5K **9**
Austwick Way. *Acc* —3F **23**
Avallon Way. *Dar* —4G **27**
Avalon Clo. *Burn* —3E **8**
Avebury Clo. *B'brn* —5K **19**
Avenue Pde. *Acc* —2D **22**
Avenue, The. *Burn* —7E **10**
Aviemore Clo. *B'brn* —1K **19**
Avon Clo. *B'brn* —2G **19**
Avon Ct. *Burn* —3J **9**
Avondale Av. *B'brn* —3D **20**
Avondale Av. *Burn* —3H **9**
Avondale Clo. *Dar* —3C **26**
Avondale M. *Dar* —2C **26**
Avondale Rd. *Dar* —3C **26**
Avondale Rd. *Nels* —2E **6**
Avondale St. *Col* —3K **5**
Avonwood Clo. *Dar* —3C **26**
Aylesbury Wlk. *Burn* —6D **6**
Ayr Gro. *Burn* —7J **9**
Ayr Rd. *B'brn* —5C **20**
Ayrton St. *Col* —3H **5**
Aysgarth Dri. *Acc* —2E **22**
Aysgarth Dri. *Dar* —3C **26**
Azalea Rd. *B'brn* —6E **12**

Bk. Albert Rd. *Col* —4G **5**
  (off Albert Rd.)
Bk. Albert St. *Pad* —2B **8**
  (off Albert St.)
Bk. Altham St. *Pad* —2C **8**
Bk. Arthur St. *Clay M* —4A **16**
Bk. Atkinson St. *Col* —4F **5**
Bk. Beehive Ter. *Ross* —7B **24**
  (off Blackburn Rd.)
Bk. Bolton Rd. *Dar* —6F **27**
Bk. Bond St. *Col* —3G **5**
  (off Bond St.)
Bk. Boundry St. *Col* —4G **5**
Bk. Brown St. *Col* —4F **5**
Bk. Burnley Rd. *Acc* —2D **22**
Bk. Cambridge St. *Col* —4G **5**
  (off Cambridge St.)
Bk. Carr Mill St. *Ross* —7B **24**
Bk. Cemetery Ter. *Bacup* —5G **31**
Bk. Chapel St. *Col* —4G **5**
  (off Chapel St.)
Bk. Church St. *Barfd* —5A **4**
Bk. Church St. *Hap* —6B **8**
  (off Church St.)
Bk. Church St. *Newc* —3A **30**
Bk. Clayton St. *Nels* —7A **4**
  (off Clayton St.)
Bk. Colne Rd. *Traw* —6K **5**
  (off Colne Rd.)
Bk. Commons. *Clith* —4D **2**
Bk. Constablelee. *Ross* —1G **29**
Bk. Dover St. *Lwr D* —6J **19**
Bk. Duckworth St. *Dar* —4E **26**
Bk. Duke St. *Col* —4G **5**
  (off Duke St.)
Bk. Earl St. *Col* —4G **5**
  (off Earl St.)
Bk. East Bank. *Barfd* —4A **4**
Bk. Gisburn Rd. *Black* —1B **4**
Bk. Halifax Rd. *Brclf* —6H **7**
Bk. Hall St. *Col* —4G **5**
  (off Hall St.)
Bk. Harry St. *Barfd* —5A **4**
Bk. Hesketh St. *Gt Har* —2H **15**
  (off Blackburn Rd.)
Bk. Heys. *Osw* —5K **21**
Bk. Hill St. *Brier* —3A **6**
  (off Hill St.)
Bk. Hill St. *Ross* —5G **25**
  (off Hill St.)
Bk. Hope St. *Bacup* —1H **31**
Backhouse St. *Osw* —4K **21**
Bk. King St. *Acc* —6C **22**
Back La. *Acc* —6F **23**
Back La. *Brclf & S'fld* —7G **5**
Back La. *Ross* —2G **29**
Back La. *Traw* —6J **5**
Back La. Side. *Has* —3B **28**

Bk. Leach St. *Col* —4F **5**
(off Leach St.)
Bk. Lee St. *Has* —3B **28**
Bk. Lord St. *Ross* —5G **25**
(off Burnley Rd.)
Bk. Lune St. *Col* —4H **5**
(off Lune St.)
Bk. Newchurch Rd. *Ross* —3J **29**
Bk. Oddfellows Ter. *Ross* —2B **30**
Bk. Ormerod St. *Ross* —3G **29**
(off Ormerod St.)
Bk. Parkinson St. *B'brn* —3E **18**
Bk. Peter St. *Barfd* —4A **4**
Bk. Queen St. *Gt Har* —2H **15**
Bk. Regent St. Has —2A **28**
(off Regent St.)
Bk. Rhoden Rd. *Osw* —6J **21**
Bk. Richard St. *Brier* —4C **6**
(off Richard St.)
Bk. Rings Row. *Ross* —3G **25**
(off Burnley Rd.)
Bk. Rushton St. *Bacup* —5G **25**
Bk. St John St. *Bacup* —2H **31**
Bk. Scotland Rd. *Nels* —1E **6**
(off Scotland Rd.)
Bk. Shuttleworth St. *Pad* —2B **8**
(off Shuttleworth St.)
Bk. Spencer St. *Ross* —4G **25**
Bk. Water St. *Acc* —2D **22**
Bk. Wellington St. *Acc* —3D **22**
Bk. Willow St. *Burn* —3K **9**
Bk. York St. *Clith* —5E **2**
Bk. York St. Ross —5G **25**
(off York St.)
Bk. Zion St. *Col* —4G **5**
(off Zion St.)
Bacon St. *Nels* —1F **7**
Bacup Golf Course. —3F **31**
Bacup Natural History Society Mus.
(off Yorkshire St.)
—2H **31**
Bacup Rd. *Ross* —3G **29**
(in two parts)
Baden Ter. *B'brn* —4G **19**
Badgebrow. *Osw* —3K **21**
Badger Clo. *Pad* —1C **8**
Badgers Clo. *Acc* —7F **17**
Bailey St. *Burn* —5K **9**
Baker St. *Bacup* —2H **31**
Baker St. *B'brn* —4A **20**
Baker St. *Burn* —5K **9**
Baker St. *Nels* —6B **4**
Balaclava St. *B'brn* —6H **13**
Bala Clo. *B'brn* —6H **13**
Balderstone Clo. *Burn* —7E **6**
Balderstone La. *Burn* —1E **10**
Baldwin Hill. *Clith* —5D **2**
Baldwin Rd. *Clith* —5D **2**
Baldwin St. *Bacup* —5D **30**
Baldwin St. *Barfd* —4A **4**
Baldwin St. *B'brn* —2F **19**
Balfour Clo. *Brier* —4E **6**
Balfour St. *B'brn* —1F **19**
Balfour St. *Gt Har* —2J **15**
Ballam St. *Burn* —6B **10**
Ballantrae Rd. *B'brn* —5C **20**
Ballater St. *Burn* —7J **9**
Balle St. *Dar* —5E **26**
Ball Gro. Dri. *Col* —3K **5**
Balliol Clo. *Pad* —4C **8**
Ball St. *Nels* —7A **4**
Balmoral Av. *Acc* —4C **14**
Balmoral Av. *Clith* —7C **2**
Balmoral Cres. *B'brn* —4E **20**
Balmoral Rd. *Acc* —1E **22**
Balmoral Rd. *Dar* —7F **27**
Balmoral Rd. *Has* —4A **28**
Baltic Rd. *Ross* —5A **30**
Bamburgh Dri. *Burn* —3H **9**
Bamford Clo. *Acc* —4E **22**
Bamford St. *Burn* —4B **10**
Bamford St. *Nels* —1H **7**
Banastre St. *Acc* —6B **16**
Banbury Av. *Osw* —4H **9**
Banbury Clo. *Acc* —1B **22**
Banbury Clo. *B'brn* —5C **18**

Bancroft Rd. *Burn* —2D **10**
Bancroft St. *B'brn* —7J **13**
Bangor St. *B'brn* —5J **13**
Bank Bottom. *Dar* —4E **26**
Bankcroft Clo. *Pad* —2D **8**
Bankfield. *Burn* —4B **10**
Bankfield St. *Bacup* —5F **31**
Bankfield St. *Col* —4E **4**
Bankfield Ter. *Bacup* —5F **31**
Bank Fold. *Barfd* —3B **4**
Bank Hall Ter. Burn —3B **10**
(off Stafford St.)
Bank Hey Clo. *B'brn* —3K **13**
Bank Hey La. N. *B'brn* —1J **13**
Bank Hey La. S. *B'brn* —3K **13**
Bank Ho. La. *Bacup* —2H **31**
Bankhouse M. *Barfd* —4B **4**
Bankhouse Rd. *Nels* —7B **4**
Bankhouse St. *Barfd* —4B **4**
Bankhouse St. *Burn* —4A **10**
(in two parts)
Bank La. *B'brn* —4C **20**
Bank Mill St. *Has* —3B **28**
Bank Pde. *Burn* —4B **10**
Bank Row. *Ross* —2F **25**
Bankside. *B'brn* —3H **19**
Bankside Clo. *Bacup* —4G **31**
Bankside La. *Bacup* —4G **31**
Banks St. *Brclf* —6J **7**
Bank St. *Acc* —2D **22**
Bank St. *Bacup* —3H **31**
Bank St. *Brier* —3C **6**
Bank St. *Chu* —2K **21**
Bank St. *Dar* —4E **26**
Bank St. *Has* —2B **28**
Bank St. *Nels* —6B **4**
Bank St. *Pad* —1B **8**
Bank St. *Ross* —3G **29**
Bank St. *Traw* —7K **5**
Bank Top. *B'brn* —2F **19**
Bank Top. *Burn* —4B **10**
Bannister Clo. *Traw* —5J **5**
Bannister Ct. Nels —2F **7**
(off York St.)
Bannister Way. *Col* —3H **5**
(off King St.)
Barbara Castle Way. *B'brn* —7H **13**
Barbon St. *Burn* —7D **6**
Barbon St. *Pad* —1B **8**
Barclay Av. *Burn* —6H **9**
Barcroft St. *Col* —3F **5**
(in two parts)
Barden Cft. *Clay M* —3A **16**
Barden La. *Burn* —6A **6**
Barden Rd. *Acc* —4A **22**
Barden St. *Burn* —1C **10**
Barden Vw. *Burn* —7B **6**
Bargee Clo. *B'brn* —2J **19**
Barilla St. *Chu* —2K **21**
Barkerhouse Rd. *Nels* —7B **4**
Barker La. *Mel* —2E **12**
Barker Ter. *Clith* —4E **2**
Barley Bank St. *Dar* —3D **26**
Barley Clo. *B'brn* —7G **13**
Barleydale Rd. *Barfd* —3B **4**
Barley Gro. *Burn* —4D **10**
Barley Holme Rd. *Ross* —5G **25**
Barley Holme St. *Ross* —4G **25**
Barley La. *B'brn* —7G **13**
Barley St. *Pad* —3B **8**
Barley Way. *B'brn* —1G **19**
Barlow Fold. *Burn* —5E **28**
Barlows Bldgs. *Ross* —4F **29**
Barlow St. *Acc* —2B **22**
Barlow St. *Bacup* —5E **30**
Barlow St. *Ross* —2G **29**
Barmouth Cres. *B'brn* —3H **13**
Barnard Clo. *Osw* —4H **21**
Barn Cft. *Clith* —6D **2**
Barnes Av. *Ross* —3F **29**
Barnes Ct. *Burn* —6E **10**
Barnes Sq. *Clay M* —4A **16**
Barnes St. *Acc* —2D **22**
(in two parts)
Barnes St. *Burn* —4B **10**
Barnes St. *Chu* —2K **21**
Barnes St. *Clay M* —4K **15**
Barnes St. *Has* —1B **28**
Barnfield Av. *Burn* —4G **11**
Barnfield Bus. Cen. *Nels* —3G **7**

Barnfield Clo. *Col* —3K **5**
Barnfield St. *Acc* —3E **22**
Barnfield Way. *Alt* —2F **17**
Barn Gill Clo. *B'brn* —2J **19**
Barn Mdw. Cres. *Rish* —6H **15**
Barnmeadow La. *Gt Har* —2H **15**
Barnoldswick Rd. *Black* —1C **4**
Baron Fold. *Ross* —5A **30**
Barons Clo. *Lwr D* —6K **19**
Baron St. *Dar* —3C **26**
Baron St. *Ross* —4J **29**
Barons Way. *Lwr D* —7K **19**
Barracks Rd. *Burn* —4J **9**
Barrett St. *Burn* —2B **10**
Barritt Rd. *Ross* —3F **29**
Barrowdale Av. *Nels* —2G **7**
Barrowford Rd. *Col* —3D **4**
(in two parts)
Barrowford Rd. *Pad & Fence* —1A **6**
(in two parts)
Barry St. *Burn* —4H **9**
Bar St. *Burn* —2C **10**
Bartle St. *Burn* —5J **9**
Barton St. *B'brn* —7H **13**
Basil St. *Col* —4G **5**
Basnett St. *Burn* —1D **10**
Bastwell Rd. *B'brn* —5J **13**
Bates St. *Clay M* —4K **15**
Bath St. *Acc* —4C **22**
Bath St. *Bacup* —3J **31**
Bath St. *B'brn* —1F **19**
Bath St. *Col* —3H **5**
Bath St. *Dar* —4E **26**
Bath St. *Nels* —1G **7**
Bathurst St. *B'brn* —7G **13**
Bawdlands. *Clith* —5D **2**
Baxenden Golf Course. —5H **23**
Bayard St. *Burn* —4F **9**
Bayley Fold. *Clith* —5E **2**
Bayley St. *Clay M* —4K **15**
Baynes St. *Hodd* —4K **27**
Bay St. *B'brn* —5K **13**
Baywood St. *B'brn* —5J **13**
Beachley Sq. *Burn* —3J **9**
Beacon Clo. *Col* —5F **5**
Beaconsfield St. *Acc* —3E **22**
Beaconsfield St. *Gt Har* —1H **15**
Beaconsfield St. *Has* —2B **28**
Beale Rd. *Nels* —1C **6**
Beardsworth St. *B'brn* —4K **13**
Beardwood. *B'brn* —5D **12**
Beardwood Brow. *B'brn* —5D **12**
Beardwood Dri. *B'brn* —5D **12**
Beardwood Fold. *B'brn* —5D **12**
Beardwood Mdw. *B'brn* —5D **12**
Beardwood Pk. *B'brn* —5E **12**
Bear St. *Burn* —4D **8**
Beatie St. *Brier* —3C **6**
Beatrice Av. *Burn* —3H **9**
Beatrice Pl. *B'brn* —5K **13**
Beatrice Ter. *Dar* —5F **27**
Beaufort St. *Nels* —2E **6**
Beaumaris Av. *B'brn* —4D **18**
Beaumaris Clo. *Has* —4B **28**
Beaver Clo. *Wilp* —3B **14**
Beaver Ter. *Bacup* —2J **31**
Beckenham St. *Burn* —6E **6**
Beckett St. *Dar* —5E **26**
Beckside Clo. *Traw* —5K **5**
Beck Way. *Col* —5E **4**
Beddington St. *Nels* —7A **4**
Bedford Clo. *Osw* —4H **21**
Bedford M. *Dar* —1D **26**
Bedford Pl. *Pad* —3C **8**
Bedfordshire Av. *Burn* —3G **9**
Bedford St. *Barfd* —1D **6**
Bedford St. *B'brn* —3F **19**
Bedford St. *Dar* —1D **26**
Bedford Ter. *Has* —5A **28**
Beech Av. *Dar* —3F **27**
Beech Bank. *Wadd* —1B **2**
Beech Clo. *Bacup* —2J **31**
Beech Clo. *Clay D* —2A **14**
Beech Clo. *Clith* —5D **2**
Beech Clo. *Osw* —6H **21**
Beech Clo. *Rish* —7G **15**
Beech Cres. *Alt W* —6B **16**
Beech Dri. *Has* —3C **28**
Beech Gro. *Acc* —4B **22**
Beech Gro. *Burn* —5D **6**

Beech Gro. *Chat* —1K **3**
Beech Gro. *Dar* —7G **19**
Beech Ind. Est. *Bacup* —2J **31**
(off Vale St.)
Beech Mt. *Rams* —1J **13**
Beech Mt. *Wadd* —1B **2**
Beech St. *Acc* —3D **22**
Beech St. *Bacup* —2J **31**
Beech St. *B'brn* —5K **13**
Beech St. *Clay M* —6A **16**
Beech St. *Clith* —5D **2**
Beech St. *Gt Har* —1H **15**
Beech St. *Nels* —7B **4**
Beech St. *Pad* —3C **8**
Beech St. *Ross* —2G **29**
Beechthorpe Av. *Wadd* —1B **2**
Beech Tree Clo. *Nels* —2F **7**
Beechwood Av. *Acc* —5E **22**
Beechwood Av. *Burn* —7K **9**
Beechwood Av. *Clith* —7E **2**
Beechwood Ct. *B'brn* —5J **13**
Beechwood Dri. *B'brn* —5B **18**
Beechwood M. *B'brn* —5K **19**
Beechwood Rd. *B'brn* —5K **13**
Beetham Ct. *Clay M* —5K **15**
Begonia St. *Dar* —4F **27**
Belfield St. *Acc* —3C **22**
Belford Dri. *Burn* —3A **10**
Belgarth Rd. *Acc* —1D **22**
Belgrave Clo. *B'brn* —2E **18**
Belgrave Ct. Burn —3A **10**
(off Belgrave St.)
Belgrave Rd. *Col* —2G **5**
Belgrave Rd. *Dar* —5D **26**
Belgrave Sq. *Dar* —4E **26**
Belgrave St. *Acc* —4A **24**
Belgrave St. *Brier* —4B **6**
Belgrave St. *Burn* —3A **10**
Belgrave St. *Nels* —1G **7**
Belle Vue La. *Wadd* —1B **2**
Belle Vue Pl. *Burn* —4K **9**
Belle Vue St. *B'brn* —7F **13**
Belle Vue St. *Burn* —4K **9**
Bell La. *Clay M* —3C **16**
Bells Arc. Burn —2B **10**
(off Ardwick St.)
Bell St. *Has* —2B **28**
Belmont Clo. *B'brn* —5D **12**
Belmont Gro. *Burn* —5E **10**
Belmont Rd. *Gt Har* —2G **15**
Belmont Ter. Barfd —5A **4**
(off Nora St.)
Belper St. *B'brn* —6K **13**
Belshaw Ct. *Burn* —7F **9**
Belvedere Av. *Ross* —4C **30**
Belvedere Rd. *B'brn* —1K **13**
Belvedere Rd. *Burn* —4C **10**
Bence St. *Col* —4H **5**
Bennett St. *Nels* —6C **4**
Bennington St. *B'brn* —2J **19**
Benson Ho. *B'brn* —1A **20**
Benson St. *B'brn* —1A **20**
Bentcliffe Gdns. *Acc* —4E **22**
Bent Gap La. *B'brn* —1F **19**
Bentgate Clo. *Has* —5D **28**
Bentham Av. *Burn* —6C **6**
Bentham Clo. *B'brn* —4E **18**
Bentham Rd. *B'brn* —4E **18**
Bent La. *Col* —2K **5**
Bentley St. *Bacup* —2H **31**
Bentley St. *B'brn* —3B **20**
Bentley St. *Dar* —6G **27**
Bentley St. *Nels* —2E **6**
Bents. *Col* —2K **5**
Bent St. *B'brn* —1G **19**
Bent St. *Has* —5D **28**
Bent St. *Osw* —5J **21**
Bentwood Rd. *Has* —2A **28**
Beresford Rd. *B'brn* —5G **13**
Beresford St. *Nels* —3G **7**
Bergen St. *Burn* —5G **9**
Berkeley Clo. *Nels* —2F **7**
Berkeley Cres. *Pad* —1B **8**
Berkeley St. *Brier* —4B **6**
Berkeley St. *Nels* —3F **7**
Berkshire Av. *Burn* —3F **9**
Berkshire Clo. *Wilp* —1B **14**
Berridge Av. *Burn* —4F **9**
Berriedale Rd. *Nels* —7D **4**

Bronte Av. *Burn* —4E **10**
Brooden Dri. *Brier* —5D **6**
Brookbank. Barfd —4B **4**
(off Bankhouse La.)
Brook Ct. *Ross* —5G **25**
Brooke Clo. *Acc* —6F **23**
Brookes St. *Bacup* —5F **31**
Brookfield. *Mel* —2B **12**
Brookfield St. *B'brn* —6H **13**
Brookford Clo. *Burn* —2J **9**
Brookhouse Bus. Cen. *B'brn*
—6J **13**
Brookhouse Clo. *B'brn* —6J **13**
Brookhouse Gdns. *B'brn* —6J **13**
Brookhouse La. *B'brn* —6J **13**
Brookland Clo. *Clay M* —3A **16**
Brooklands. *Ross* —4B **30**
(Burnley Rd. E.)
Brooklands. *Ross* —4F **29**
(Bury Rd.)
Brooklands Av. *Burn* —7C **10**
Brooklands Av. *Ross* —6B **28**
Brooklands Rd. *Burn* —7C **10**
Brooklands Ter. *Burn* —7C **10**
Brookland St. *Ross* —4K **29**
Brookland Ter. *Ross* —6B **30**
Brooklyn Rd. *Clay D* —3B **14**
Brookside. *Ross* —5E **28**
Brookside Bus. Pk. *Ross*
—1F **29**
Brookside Ind. Pk. *Osw* —5H **21**
Brookside La. *Osw* —5E **20**
Brookside St. *Osw* —5H **21**
Brookside Vw. *Osw* —4H **21**
Brook St. *B'brn* —3E **18**
Brook St. *Clith* —4F **3**
Brook St. *Col* —3G **5**
Brook St. *Dar* —3E **26**
Brook St. *Has* —7B **24**
Brook St. *Nels* —1F **7**
Brook St. *Osw* —5K **21**
Brook St. *Pad* —3C **8**
Brook St. *Rish* —6G **15**
Brookway. *B'brn* —5E **18**
Broomfield Pl. *B'brn* —2E **18**
Brothers St. *B'brn* —4D **18**
Brotherton Mdw. *Clith* —5F **3**
Brougham St. *Burn* —3A **10**
Broughton Clo. *B'brn* —4K **19**
Broughton St. *Burn* —4J **9**
Broughton St. *Dar* —3D **26**
Brow Edge. *Ross* —4B **30**
Browhead Ct. *Burn* —2C **10**
Browhead Rd. *Burn* —2C **10**
Brown Birks Rd. *Acc* —7F **17**
Brownhill Av. *Burn* —4D **10**
Brownhill Dri. *B'brn* —2J **13**
Brown Hill La. *Col* —1J **5**
Brownhill Rd. *B'brn* —1J **13**
Browning Av. *Osw* —3H **21**
Browning Clo. *Col* —2G **5**
Browning St. *Hodd* —4K **27**
Brownlow St. *B'brn* —4C **20**
Brownlow St. *Clith* —6E **2**
Brownside Mill. *B'brn* —4F **11**
Brownside Rd. *Burn* —5F **11**
Brown's Sq. Burn —4B **10**
(off Forest St.)
Brown St. *Acc* —3B **22**
Brown St. *Bacup* —1H **31**
Brown St. *B'brn* —7H **13**
Brown St. *Burn* —4A **10**
Brown St. *Clith* —6D **2**
Brown St. *Col* —3G **5**
Brown St. E. *Col* —3G **5**
Brown St. W. *Col* —4F **5**
Browsholme Av. *Burn* —4D **10**
Brow Vw. *Burn* —2C **10**
Bruce St. *B'brn* —2A **20**
Bruce St. *Burn* —5J **9**
Brundhurst Fold. *Mel* —2A **12**
Brunel Dri. *B'brn* —1J **19**
Brunel St. *Burn* —3H **9**
Brunel Wlk. *B'brn* —1J **19**
Brungerley Av. *Clith* —4E **2**
Brunshaw Av. *Burn* —5D **10**
Brunshaw Rd. *Burn* —4C **10**
Brun St. *Burn* —4A **10**
Brunswick Dri. *Col* —5D **4**
Brunswick St. *B'brn* —1G **19**

Brunswick St. *Burn* —6B **10**
(in two parts)
Brunswick St. *Dar* —5F **27**
Brunswick St. *Nels* —1F **7**
Brunswick Ter. *Acc* —2C **22**
Brunswick Ter. *Bacup* —5F **31**
Brun Ter. *Burn* —5G **11**
Brush St. *Burn* —5H **9**
Brussells Rd. *Dar* —4G **27**
Bryan St. *B'brn* —3H **19**
Bryer's Cft. *Wilp* —2B **14**
Buccleuch Av. *Clith* —5D **2**
Buccleuch Clo. *Clith* —5D **2**
Buccleuch Nels —7A **4**
Buccleuch St. *Burn* —5K **9**
Buckden Ga. *Barfd* —5A **4**
Buckden Rd. *Acc* —4A **22**
Buckingham Clo. *Has* —4A **28**
Buckingham Gro. *Chu* —1A **22**
Buck St. *Burn* —5K **9**
Buck St. *Col* —3H **5**
Buff St. *Dar* —5E **26**
Bulcock St. *Burn* —1D **10**
Buller St. *Ross* —3G **29**
Bullough Clo. *Acc* —3B **22**
Bull St. *Burn* —4B **10**
Buncer La. *B'brn* —7D **12**
Bunkers Hill Clo. *B'brn* —5E **18**
Burdett St. *Burn* —5J **9**
Burford Clo. *B'brn* —5B **18**
Burgess St. *B'brn* —3B **20**
Burgess St. *Has* —2B **28**
Burleigh St. *Burn* —2A **10**
Burlington St. *B'brn* —7F **13**
Burlington St. *Nels* —2D **6**
Burnham Clo. *Burn* T —5K **9**
Burnham Ga. *Burn* —5J **9**
Burnham Trad. Pk. Burn —4K **9**
(off Blannel St.)
Burnley Bus. Cen. Burn —4B **10**
(off Bank Pde.)
Burnley Clo. *B'brn* —3A **20**
Burnley F.C. —4C **10**
(Turf Moor)
Burnley La. *Hun & Acc* —6G **17**
Burnley Rd. *Acc* —2D **22**
Burnley Rd. *B'brn* —3B **20**
Burnley Rd. *Brclf* —6G **7**
Burnley Rd. *Brier* —5C **6**
Burnley Rd. *Clay M* —5B **16**
Burnley Rd. *Col* —6D **4**
Burnley Rd. *Good & Dunn*
—3G **25**
Burnley Rd. *Hap* —6H **17**
Burnley Rd. *Pad* —2B **8**
Burnley Rd. *Ram* —7D **28**
Burnley Rd. *Traw* —7J **5**
Burnley Rd. E. *Ross* —1A **30**
Burnley Rd. E. *Waterf* —5A **30**
Burnsall Clo. *Burn* —6F **7**
Burnsall Rd. *Acc* —4A **22**
Burns Av. *Osw* —3J **21**
Burns Dri. *Acc* —6F **23**
Burns St. *Burn* —3A **10**
Burns St. *Hap* —6B **8**
Burns St. *Nels* —2E **6**
Burns St. *Pad* —3C **8**
Burns Wlk. *Dar* —4F **27**
Burns Way. *Gt Har* —3G **15**
Burrans Mdw. *Col* —4G **5**
Burrell Av. *Col* —2G **5**
Burton Gdns. *Brier* —4C **6**
Burton Rd. *Acc* —1D **22**
Burton St. *Burn* —5C **10**
Burton St. *Rish* —6H **15**
Burwen Clo. *Burn* —7J **9**
Bury Fold. *Dar* —7E **26**
Bury Fold Clo. *Dar* —6E **26**
Bury Fold La. *Dar* —7E **26**
Bury Rd. *Has* —2B **28**
Bury Rd. *Ross* —7E **28**
Bury St. *Dar* —4E **26**
Bury St. *Osw* —5J **21**
Bush St. *Burn* —1B **10**
Bute Rd. *B'brn* —5C **20**
Bute St. *Burn* —7J **9**
Butler St. *Burn* —6C **10**
Butler St. *Rish* —6H **15**
Butterfield St. *Barfd* —5A **4**

Buttermere Av. *Col* —2J **5**
Buttermere Clo. *B'brn* —6J **13**
Buttermere Dri. *Osw* —3J **21**
Buttermere Rd. *Burn* —5G **11**
Butts. Gt Har —2G **15**
(off Delph Rd.)
Butts Gro. *Clith* —3E **2**
Butts Mt. *Gt Har* —2G **15**
Buxton St. *Acc* —3B **22**
Byrom St. *B'brn* —1G **19**
Byron Clo. *Acc* —6F **23**
Byron Clo. *Osw* —4H **21**
Byron Rd. *Col* —3H **5**
Byron Sq. *Gt Har* —3G **15**
Byron St. *Burn* —3E **8**
Byron Ter. *B'brn* —2E **18**

C

Cabin End Row. *B'brn* —4D **20**
Cadogan St. *Barfd* —6A **4**
Cadshaw Clo. *B'brn* —4H **13**
Caernarvon Av. *B'brn* —3F **9**
Caernarvon Rd. *Has* —4A **28**
Cairo St. *Burn* —4J **9**
Calcott St. *Burn* —7K **9**
Caldbeck Clo. *Nels* —3F **7**
Calder Av. *Dar* —1B **26**
Calder Banks. *B'brn* —5J **13**
(in two parts)
Calderbrook Av. *Burn* —7K **9**
Calderbrook Pl. *Burn* —7K **9**
Calder Clo. *Nels* —7A **4**
Calder Ct. *Alt* —1F **17**
Calder Pl. *Gt Har* —1K **15**
Calder Rd. *Ross* —1G **29**
Calder St. *B'brn* —5J **13**
Calder St. *Burn* —4A **10**
Calder St. *Col* —4F **5**
Calder St. *Nels* —7A **4**
Calder St. *Pad* —2B **8**
Calder Ter. *Nels* —1C **6**
Calder Va. *Barfd* —6A **4**
Calder Vale Rd. *Burn* —4A **10**
Calder Vw. *Barfd* —3B **4**
Caleb St. *Nels* —7B **4**
Calendar St. *B'brn* —7H **13**
Calf Hey. *Clay M* —3A **16**
Calgary Av. *B'brn* —4E **12**
Calico Clo. *Osw* —4G **21**
Calico St. *B'brn* —4G **19**
Calva Clo. *Burn* —2G **9**
Cambrian Clo. *B'brn* —1J **13**
Cambrian Way. *Has* —4B **28**
Cambridge Clo. *B'brn* —1J **19**
Cambridge Clo. *Pad* —4C **8**
Cambridge Dri. *B'brn* —4D **20**
Cambridge Dri. *Pad* —3C **8**
Cambridge Ho. *Dar* —4G **27**
Cambridge St. *Acc* —1D **22**
Cambridge St. *B'brn* —1J **19**
Cambridge St. *Brier* —4C **6**
Cambridge St. *Burn* —5J **9**
Cambridge St. *Col* —4G **5**
Cambridge St. *Dar* —4G **27**
Cambridge St. *Gt Har* —2J **15**
Cambridge St. *Has* —3B **28**
Cambridge St. *Nels* —2E **6**
Camden St. *Barfd* —5A **4**
Camden St. *Nels* —2E **6**
Cameron St. *Burn* —1B **10**
Camms Vw. *Has* —5A **28**
Campbell Pl. B'brn —2E **18**
(off Spring La.)
Campbell St. *B'brn* —3J **13**
Campbell St. *Burn* —3E **8**
Campion Clo. *Osw* —4K **21**
Campion Dri. *Has* —5A **28**
Camp St. *Burn* —6F **7**
Canal M. Nels —1E **6**
(off Carr Rd.)
Canalside. *B'brn* —2J **19**
Canalside. *Nels* —6A **4**
Canal St. *B'brn* —4E **18**
Canal St. *Burn* —4A **10**
Canal St. *Chu* —2K **21**
Canal St. *Clay M* —5A **16**
Candlemakers Ct. *Clith* —5E **2**
Canning St. *Burn* —3A **10**
(in two parts)
Canning St. *Pad* —3C **8**

Cannon St. *Acc* —3C **22**
Cannon St. *Nels* —7C **4**
Canterbury St. *B'brn* —1G **19**
Cape St. *Ross* —3G **29**
Captain's Cotts. Wors —5J **11**
(off Wallstreams La.)
Cardigan Av. *Burn* —3F **9**
Cardigan Av. *Clith* —5D **2**
Cardigan Av. *Osw* —4H **21**
Cardigan Clo. *Clith* —5D **2**
Cardinal St. *Burn* —1C **10**
Cardwell Pl. *B'brn* —7G **13**
Cardwell St. *Pad* —3C **8**
Carham Rd. *B'brn* —4H **13**
Carholme Av. *Burn* —4D **10**
Carleton Rd. *Col* —5D **4**
Carleton St. *Nels* —2F **7**
Carley St. *Dar* —3C **26**
Carlinghurst Rd. *B'brn* —1G **19**
Carlisle Rd. *Acc* —7E **16**
Carlisle St. *B'brn* —1J **19**
Carlton Clo. *Col* —3E **4**
Carlton Gdns. *B'brn* —6H **13**
Carlton Pl. *Clith* —6F **3**
Carlton Rd. *B'brn* —6H **13**
Carlton Rd. *Burn* —5K **9**
Carlton St. *Bacup* —2J **31**
Carlton St. *Brier* —4C **6**
Carluke St. *B'brn* —3B **20**
Carlyle St. *Burn* —6D **6**
Carnarvon Rd. *B'brn* —7E **12**
Carnforth Clo. *B'brn* —4K **19**
Caroline Ct. *Burn* —6G **9**
Carradice Clo. *Nels* —1E **6**
Carr Hall Dri. *Barfd* —1C **6**
Carr Hall Rd. *Barfd* —1C **6**
Carr Hall St. *Has* —7B **24**
Carr Head. *Traw* —6K **5**
Carrington Av. *B'brn* —5F **19**
Carr. La. *B'brn* —6B **12**
Carr La. *New H* —4F **29**
Carr La. *Waterf* —5A **30**
Carr Mill St. *Has* —7B **24**
Carr Mt. *Ross* —4F **29**
Carr Rd. *Burn* —7K **9**
Carr Rd. *Col* —2H **5**
Carr Rd. *Dar* —5F **27**
Carr Rd. *Nels* —7A **4**
Carr Rd. *Ross* —4F **29**
Carrs Ind. Est. *Has* —2A **28**
Carr St. *B'brn* —6H **13**
Carr St. *Has* —7B **24**
Carrs Wood. *B'brn* —6C **12**
Carr Vw. *Traw* —7K **5**
Carrwood Grn. *Pad* —2B **8**
Carry La. *Col* —3H **5**
Carside. *Brier* —1C **6**
Carter Av. *Hap* —6B **8**
Carter Fold. *Mel* —2B **12**
Carter St. *Acc* —4C **22**
Carter St. *Burn* —3H **9**
Cartmel Av. *Acc* —5B **22**
Cartmel Dri. *Burn* —2G **9**
Cartmel Rd. *B'brn* —2D **18**
Carus Av. *Hodd* —4J **27**
Carus St. *Hodd* —4K **27**
Casserley Rd. *Col* —2J **5**
Castercliff Bank. *Col* —5F **5**
Castercliffe Rd. *Nels* —1J **7**
Casterton Av. *Burn* —6C **6**
Castle Clo. *Col* —2H **5**
Castle Clough Cotts. *Burn* —6A **8**
Castlegate. *Clith* —5E **2**
Castlerigg Dri. *Burn* —2G **9**
Castle Rd. *Col* —2H **5**
Castle St. *B'brn* —3A **20**
Castle St. *Brier* —3C **6**
Castle St. *Burn* —3A **10**
Castle St. *Clith* —5E **2**
Castle St. *Hap* —6B **8**
Castle St. *Nels* —1G **7**
Castletown Dri. *Bacup* —5K **31**
Castle Vw. *Clith* —5E **2**
Cathedral Clo. B'brn —7H **13**
(off Church St.)
Catlow Hall St. *Osw* —5K **21**
Catterall St. *B'brn* —5F **19**
Cattle St. *Gt Har* —2H **15**
Causeway. *Gt Har* —2G **15**
Causeway Cft. *Clith* —4E **2**

Causeway Head. *Has* —5A **28**
Causeway St. *Dar* —6G **27**
Causey Foot. *Nels* —2D **6**
Cavalry Way. *Burn* —4J **9**
Cavendish Pl. *B'brn* —2E **18**
Cavendish St. *Dar* —2D **26**
Cave St. *B'brn* —4E **18**
Cecilia Rd. *B'brn* —3C **18**
Cecil St. *B'brn* —6K **13**
Cecil St. *Osw* —4K **21**
Cecil St. *Rish* —5H **15**
Cedar Av. *Has* —2C **28**
Cedar Av. *Raw* —3E **28**
Cedar Clo. *Rish* —7G **15**
Cedar Ct. *B'brn* —5J **13**
Cedar St. *Acc* —2D **22**
Cedar St. *B'brn* —4J **13**
Cedar St. *Burn* —5C **10**
Celia St. *Burn* —5D **10**
Cemetery La. *Burn* —6F **9**
Cemetery Rd. *Dar* —7F **27**
Cemetery Rd. *Pad* —3B **8**
Centenary Av. *Burn* —5A **10**
Central Av. *Clith* —6D **2**
Central Av. *Osw* —4H **21**
Central Bldgs. *Pad* —1B **8**
 (off Factory La.)
Central Sq. *Has* —2B **28**
Central Vw. *Bacup* —3J **31**
Chad St. *Col* —6D **4**
Chadwick St. *B'brn* —2G **19**
Challenge Way. *B'brn* —1B **20**
Chancel Pl. *Dar* —5G **27**
Chancel Way. *Dar* —5G **27**
Chancery Wlk. *Burn* —4B **10**
Change Clo. *Bacup* —1K **31**
Chapel Clo. *Clith* —5B **2**
Chapel Clo. *Traw* —6J **5**
Chapel Ct. *Brclf* —6H **7**
Chapel Fld. *Col* —4G **5**
Chapel Hill La. *Ross* —1H **29**
Chapel Ho. *Rish* —6H **15**
 (off Chapel St.)
Chapel Ho. Rd. *Nels* —3E **6**
Chapel La. *Good* —3G **25**
Chapels. *Dar* —2E **26**
Chapels Brow. *Dar* —2E **26**
 (in two parts)
Chapel St. *Acc* —3D **22**
Chapel St. *Bacup* —5E **30**
Chapel St. *B'brn* —1G **19**
Chapel St. *Brier* —3C **6**
Chapel St. *Burn* —4B **10**
Chapel St. *Clay M* —4K **15**
Chapel St. *Col* —4G **5**
Chapel St. *Dar* —5E **26**
Chapel St. *Good* —4G **25**
Chapel St. *Has* —2B **28**
Chapel St. *Nels* —1F **7**
Chapel St. *Newc* —4A **30**
Chapel St. *Osw* —4K **21**
Chapel St. *Rish* —6H **15**
Chapel St. *Wors* —5H **11**
Chapel Ter. *Ross* —1B **30**
Chapel Wlk. *Pad* —1B **8**
Chapman Rd. *Hodd* —4D **12**
Chapter Rd. *Dar* —5G **27**
Charles La. *Has* —3A **28**
Charles St. *B'brn* —3G **19**
Charles St. *Clay M* —4K **15**
Charles St. *Col* —3H **5**
Charles St. *Dar* —3E **26**
Charles St. *Gt Har* —3H **15**
Charles St. *Nels* —7A **4**
Charles St. *Osw* —5K **21**
Charles St. *Ross* —3B **30**
Charlotte St. *B'brn* —6H **13**
Charlotte St. *Burn* —5A **10**
Charnley St. *B'brn* —3F **19**
Charnwood Clo. *B'brn* —4D **12**
Charter Brook. *Gt Har* —2J **15**
Charterhouse Pl. *B'brn* —2E **18**
Charter St. *Acc* —3A **22**
Chase, The. *Burn* —2J **9**
Chatburn Av. *Acc* —5E **10**
Chatburn Av. *Clith* —4F **3**
Chatburn Clo. *Gt Har* —2K **15**
Chatburn Clo. *Ross* —1G **29**
Chatburn Old Rd. *Chat* —1J **3**

Chatburn Old Rd. *Clith* —2F **3**
Chatburn Pk. Av. *Brier* —3B **6**
Chatburn Pk. Dri. *Brier* —3B **6**
Chatburn Pk. Dri. *Clith* —3F **3**
Chatburn Rd. *Clith* —4F **3**
Chatburn St. *B'brn* —7F **13**
Chatham Cres. *Col* —2H **5**
Chatham St. *Col* —2H **5**
Chatham St. *Nels* —7A **4**
Chatsworth Clo. *B'brn* —3H **13**
Chatterton Dri. *Acc* —6F **23**
Chaucer Gdns. *Gt Har* —3G **15**
Cheetham St. *B'brn* —7F **13**
Chelburn Gro. *Burn* —4D **10**
Chelston Dri. *Ross* —6A **28**
Cheltenham Av. *Acc* —7D **16**
Cheltenham Rd. *B'brn* —7F **13**
Chequers. *Clay M* —5A **16**
Cherry Clo. *B'brn* —3A **20**
Cherryclough Way. *B'brn*
 —5D **18**
Cherry Cres. *Osw* —6J **21**
Cherry Cres. *Ross* —5F **29**
Cherry Lea. *B'brn* —4C **18**
Cherry St. *B'brn* —3A **20**
Cherry Tree La. *B'brn* —5B **18**
Cherry Tree La. *Ross* —4F **29**
Cherry Tree M. *Burn* —7J **9**
 (off Bristol St.)
Cherry Tree Ter. *B'brn* —4C **18**
Cherry Tree Way. *Ross* —6A **28**
Chessington Grn. *Burn* —6E **6**
 (off Hillingdon Rd. N.)
Chester Av. *Clith* —4E **2**
Chester Clo. *B'brn* —2K **19**
Chester Cres. *Has* —5B **28**
Chester St. *Acc* —3B **22**
Chester St. *B'brn* —1K **19**
Chestnut Dri. *Ross* —5F **29**
Chestnut Gdns. *B'brn* —5J **13**
Chestnut Gro. *Acc* —4B **22**
Chestnut Gro. *Clay M* —3B **16**
Chestnut Gro. *Dar* —7E **26**
Chestnut Ri. *Burn* —6A **10**
Chestnut Wlk. *B'brn* —3A **20**
 (off Longton St.)
Chevassut Clo. *Barfd* —7A **4**
Cheviot Av. *Burn* —5F **11**
Chichester Clo. *Burn* —4C **10**
Chicken St. *B'brn* —1F **19**
Childrey Wlk. *B'brn* —5K **19**
 (off Ridgeway Av.)
Chiltern Av. *Burn* —5E **10**
China St. *Acc* —2A **22**
Chingford Bank. *Burn* —6D **6**
Chipping Gro. *Burn* —6E **10**
Chipping St. *Pad* —1C **8**
Chislehurst Gro. *Burn* —5E **6**
Chorlton Clo. *Burn* —7E **6**
Chorlton Gdns. *B'brn* —6J **13**
Chorlton St. *B'brn* —5J **13**
Christchurch Sq. *Acc* —3D **22**
Christchurch St. *Acc* —3D **22**
Christchurch St. *Bacup* —2J **31**
Christleton Clo. *Brclf* —6G **7**
Church All. *Clay M* —5A **16**
Church Av. *Acc* —7F **23**
Church Bank. *Chu* —1K **21**
Chu. Bank St. *Dar* —4E **26**
Church Brow. *Clith* —4E **2**
Chu. Brow Gdns. *Clith* —4E **2**
Church Clo. *Clith* —4E **2**
Church Clo. *Mel* —2B **12**
Church Clo. *Wadd* —1B **2**
Church Hall. *Acc* —1A **22**
Churchill Rd. *B'brn* —7F **15**
Churchill Rd. *Acc* —5E **22**
Churchill Rd. *Barfd* —1C **6**
Churchill Rd. *B'brn* —5K **13**
Churchill Way. *Brier* —1B **6**
Church La. *Clay M* —6B **16**
Church La. *Gt Har* —1H **15**
Church La. *Mel* —2B **12**
Church La. *Newc* —4A **30**
Church La. *Pad* —1B **8**
Church Meadows. *Col* —3G **5**
Church Pad. *Ross* —3G **29**
Church Sq. *Wors* —5J **11**
 (off Ravenoak La.)
Church St. *Acc* —3D **22**

Church St. *Bacup* —5E **30**
Church St. *Barfd* —4A **4**
Church St. *B'brn* —7H **13**
Church St. *Brclf* —7G **7**
Church St. *Brier* —4C **6**
Church St. *Burn* —3B **10**
Church St. *Chu* —1K **21**
Church St. *Clay M* —5A **16**
Church St. *Clith* —5E **2**
Church St. *Col* —3G **5**
Church St. *Dar* —4E **26**
Church St. *Good* —3G **25**
Church St. *Gt Har* —2H **15**
Church St. *Hap* —6B **8**
Church St. *Has* —2B **28**
Church St. *Newc* —4A **30**
Church St. *Osw* —5J **21**
Church St. *Pad* —2A **8**
Church St. *Rish* —6F **15**
Church St. *Ross* —5A **30**
Church St. *Traw* —6K **5**
Church Ter. *Dar* —4E **26**
Churchtown Cres. *Bacup*
 —4J **31**
Church Vw. *Traw* —6K **5**
 (off Ash St.)
Church Wlk. *B'brn* —1J **13**
Church Wlk. *Clith* —5E **2**
Church Way. *Nels* —3E **6**
Cicely Ct. *B'brn* —1J **19**
Cicely La. *B'brn* —1J **13**
Cicely St. *B'brn* —1J **19**
Circus, The. *Dar* —4E **26**
Clare Av. *Col* —6D **4**
Claremont Av. *Clith* —6F **3**
Claremont Dri. *Clith* —6F **3**
Claremont Rd. *Acc* —7C **16**
Claremont St. *Brier* —4B **6**
Claremont St. *Burn* —4J **9**
Claremont St. *Col* —3J **5**
Claremont Ter. *Nels* —2E **6**
Clarence Av. *Has* —4A **28**
Clarence Pk. *B'brn* —5E **12**
Clarence Rd. *Acc* —4B **22**
Clarence St. *B'brn* —6G **13**
Clarence St. *Burn* —6C **10**
Clarence St. *Col* —3K **5**
Clarence St. *Dar* —2D **26**
Clarence St. *Osw* —5H **21**
Clarence St. *Ross* —5G **25**
Clarence St. *Traw* —6K **5**
Clarendon Rd. *B'brn* —4J **13**
Clarendon Rd. E. *B'brn* —4K **13**
Clarendon St. *Acc* —2E **22**
Clarendon St. *Col* —3K **5**
Clare St. *Burn* —4K **9**
Claret St. *Acc* —3B **22**
Clarke Holme St. *Ross* —3B **30**
Clarke St. *Rish* —6G **15**
Claughton St. *Burn* —1C **10**
Claybank. *Pad* —1B **8**
Clay St. *Burn* —5H **9**
Clayton Av. *Ross* —5E **28**
Clayton Bus. Pk. *Clay M* —5J **15**
Clayton Clo. *Nels* —7A **4**
Clayton Gro. *Clay D* —2A **14**
Clayton Hall Dri. *Clay M* —3A **16**
Clayton St. *B'brn* —1H **19**
Clayton St. *Clay M* —6B **16**
Clayton St. *Col* —4H **5**
Clayton St. *Gt Har* —2H **15**
Clayton St. *Nels* —1E **6**
 (in two parts)
Clayton St. *Osw* —3K **21**
Clayton St. Ind. Est. *Nels* —7A **4**
Clayton Way. *Clay M* —4B **16**
Cleaver St. *B'brn* —7J **13**
Cleaver St. *Burn* —2C **10**
Clegg St. *Bacup* —5E **30**
Clegg St. *Brier* —4C **6**
Clegg St. *Burn* —2B **10**
Clegg St. *Has* —2B **28**
Clegg St. *Nels* —3F **7**
Clegg St. *Wors* —5H **11**
Clegg St. E. *Burn* —2B **10**
 (off Grey St.)
Clematis St. *B'brn* —7E **12**
Clements Dri. *Brier* —5D **6**
Clement St. *Acc* —4D **22**
Clement St. *Dar* —5E **26**

Clement Vw. *Nels* —1E **6**
Clerkhill St. *B'brn* —3A **20**
Clery St. *Burn* —5F **9**
Cleveland Ho. *Has* —2B **28**
 (off Pleasant St.)
Clevelands Gro. *Burn* —6K **9**
Clevelands Mt. *Burn* —6A **10**
 (off Clevelands Gro.)
Clevelands Rd. *Burn* —6K **9**
Cleveland St. *Col* —2J **5**
Cleveland Ter. *Dar* —5F **27**
Cleveleys Rd. *Acc* —7B **16**
Cleveleys Rd. *B'brn* —4J **19**
Cliffe La. *Gt Har* —1H **15**
Cliffe St. *Nels* —7B **4**
Clifford St. *Col* —3H **5**
Cliff St. *Col* —5E **4**
Cliff St. *Pad* —1C **8**
Cliff St. *Rish* —5G **15**
Clifton Av. *Acc* —7D **16**
Clifton Dri. *Gt Har* —1H **15**
Clifton Gro. *Wilp* —4B **14**
Clifton Rd. *Brier* —5D **6**
Clifton Rd. *Burn* —3H **9**
Clifton St. *Acc* —4B **22**
Clifton St. *B'brn* —1H **19**
Clifton St. *Burn* —4K **9**
Clifton St. *Col* —3G **5**
Clifton St. *Dar* —1D **26**
Clifton St. *Rish* —6G **15**
Clifton St. *Traw* —6J **5**
Clifton Ter. *Hodd* —3J **27**
Clinkham Rd. *Gt Har* —2E **14**
Clinton St. *B'brn* —6K **13**
Clipper Quay. *B'brn* —2J **19**
Clitheroe By-Pass. *Clith* —7G **3**
Clitheroe Castle Mus. —5E **2**
Clitheroe Rd. *Brier* —4A **6**
Clitheroe Rd. *Chat* —2J **3**
Clitheroe Rd. *Wadd* —1B **2**
Clitheroe Rd. *W Brad* —1E **2**
Clitheroe St. *Pad* —1B **8**
Clive St. *Burn* —2A **10**
Clockhouse Av. *Burn* —6E **6**
Clockhouse Ct. *Burn* —6E **6**
Clockhouse Gro. *Burn* —6E **6**
Clod La. *Has* —6C **28**
Clogg Head. *Traw* —6K **5**
Cloister Dri. *Dar* —4F **27**
Close, The. *Acc* —4A **24**
Close, The. *Clay M* —3A **16**
Cloth Hall St. *Col* —3G **5**
Clough Bank. *Chat* —1K **3**
Clough End Rd. *Has* —7B **24**
Clough Rd. *Bacup* —2J **31**
Clough Rd. *Nels* —1H **7**
Clough St. *Bacup* —5F **31**
Clough St. *Burn* —5J **9**
 (in two parts)
Clough St. *Dar* —7G **27**
Clough St. *Ross* —4B **30**
Clough, The. *Dar* —7G **27**
Clover Cres. *Burn* —2J **9**
Cloverfields. *B'brn* —6K **13**
Clover Hill Rd. *Nels* —2G **7**
Clover St. *Bacup* —2J **31**
Clover Ter. *Dar* —2E **26**
Clyde St. *B'brn* —2E **18**
Clynders Cotts. *Burn* —1H **9**
Coach Rd. *Chu* —3K **21**
Coal Clough La. *Burn* —5K **9**
Coal Hey St. *Has* —2B **28**
 (off Peel St.)
Coal Pit La. *Acc* —4A **22**
Coal Pit La. *Bacup* —2K **31**
Coal Pit La. *Col* —4J **5**
Coal Pit La. *Ross* —2C **30**
Coal St. *Burn* —4A **10**
Cobbs La. *Osw* —7K **21**
Cob Castle Rd. *Has* —2A **28**
Cobden Cr. *B'brn* —7H **13**
 (off Blackburn Shop. Cen.)
Cobden Ho. *Ross* —4K **29**
Cobden St. *Bacup* —5K **31**
Cobden St. *Brclf* —6G **7**
Cobden St. *Burn* —2C **10**
Cobden St. *Dar* —5E **26**
Cobden St. *Hap* —6B **8**
Cobden St. *Nels* —2E **6**
Cobden St. *Pad* —1C **8**

Cobham Ct. *Ross* —4A **30**
Cobham Rd. *Acc* —3E **22**
Cobourg Clo. *B'brn* —3J **19**
Cob Wall. *B'brn* —6K **13**
Cochran St. *Dar* —5E **26**
Cockerill St. *Has* —1B **28**
Cockermouth Clo. *B'brn* —6J **19**
Cocker St. *Nels* —7B **4**
Cockridge Clo. *B'brn* —5E **18**
Coddington St. *B'brn* —3A **20**
Cog La. *Burn* —5H **9**
Cog St. *Burn* —5J **9**
Colbran St. *Burn* —1C **10**
Colbran St. *Nels* —6C **4**
Coldstream Pl. *B'brn* —3H **19**
Coldweather Av. *Nels* —4G **7**
Coleman St. *Nels* —1G **7**
Colenso Rd. *B'brn* —5G **13**
Coleridge Clo. *Col* —2G **5**
Coleridge Dri. *Acc* —6F **23**
Coleridge Pl. *Gt Har* —3G **15**
Coleridge St. *B'brn* —2F **19**
Coleshill Av. *Burn* —5D **10**
Colin St. *Burn* —5J **9**
Colldale Ter. *Has* —3B **28**
College Clo. *Pad* —4C **8**
College St. *Acc* —2B **22**
Collier's Row. *Guide* —7E **20**
Colliers Sq. *Acc* —3K **21**
 (off Colliers St.)
Colliers St. *Osw* —3K **21**
Collier St. *Osw* —6F **23**
Collinge Fold La. *Ross* —1F **29**
Collinge St. *Pad* —3B **8**
Collinge St. *Ross* —1F **29**
Collingwood. *Clay M* —5K **15**
Collingwood St. *Col* —4E **4**
Collins Dri. *Acc* —6F **23**
Colne La. *Col* —4H **5**
Colne Rd. *Brier* —3C **6**
 (in two parts)
Colne Rd. *Burn* —5C **6**
Colne Rd. *Traw* —6J **5**
Colthirst Dri. *Clith* —3F **3**
Columbia Way. *B'brn* —4D **12**
Colville Rd. *Dar* —1C **26**
Colville St. *Burn* —2B **10**
Commerce St. *Bacup* —3H **31**
Commerce St. *Has* —2A **28**
 (in two parts)
Commercial Rd. *Gt Har* —2H **15**
Commercial Rd. *Nels* —1F **7**
Commercial St. *Bacup* —5F **31**
Commercial St. *Brier* —3C **6**
Commercial St. *Chu* —2K **21**
Commercial St. *Gt Har* —2H **15**
Commercial St. *Osw* —5J **21**
Commercial St. *Rish* —5G **15**
Commercial St. *Ross* —1G **25**
Como Av. *Burn* —6H **9**
Company St. *Rish* —6G **15**
Compston Av. *Ross* —3G **25**
Comrie Cres. *Burn* —7J **9**
Conduit St. *Nels* —7A **4**
Coniston Av. *Acc* —4A **22**
Coniston Av. *Bacup* —1J **31**
Coniston Av. *Pad* —1B **8**
Coniston Dri. *Dar* —3G **27**
Coniston Gro. *Col* —2K **5**
Coniston Rd. *B'brn* —5K **13**
Coniston St. *Burn* —4H **9**
Coniston Way. *Rish* —6E **14**
Constable Av. *Burn* —7A **10**
Constable Lee Ct. *Ross* —1G **29**
 (off Burnley Rd.)
Constable Lee Cres. *Ross*
 —1G **29**
Conway Av. *B'brn* —5H **13**
Conway Av. *Clith* —6C **2**
Conway Clo. *Has* —4B **28**
Conway Dri. *Osw* —4G **21**
Conway Gro. *Burn* —6D **6**
Conway Rd. *Ross* —2J **29**
Cook Ct. *B'brn* —6D **12**
Cook Gdns. *B'brn* —4A **20**
Cook Ho. *Col* —2H **5**
Cooperage, The. *Osw* —5J **21**
Co-operation St. *Bacup* —3J **31**
Co-operation St. *Craw* —5G **25**

Co-operation St. *Ross* —3H **29**
 (Bacup Rd.)
Co-operation St. *Ross* —3B **30**
 (Burnley Rd. E.)
Coopers Clo. Osw —5J 21
 (off Peel St.)
Cooper St. *Bacup* —2H **31**
Cooper St. *Burn* —5B **10**
Cooper St. *Nels* —7B **4**
Copperfield Clo. *Burn* —4G **11**
Copperfield St. *B'brn* —2J **19**
Coppice Av. *Acc* —1E **22**
Coppice Clo. *Nels* —6D **4**
Coppice, The. *B'brn* —5D **12**
Coppice, The. *Clay M* —3A **16**
Copse, The. *Acc* —3A **22**
Copster Hill Clo. *Guide* —7C **20**
Copthurst St. *Pad* —1B **8**
Copy Nook. *B'brn* —7K **13**
Copy St. *B'brn* —7K **13**
Corbridge Ct. *Clith* —4E **2**
Corlass St. *Barfd* —5A **4**
Cornel Gro. *Burn* —6H **9**
Cornelian St. *B'brn* —2J **13**
Cornfield Gro. *Burn* —2F **9**
Cornfield St. *Dar* —3F **27**
Cornhill. *Acc* —2D **22**
Cornhill Arc. Acc —2D 22
 (off Cornhill)
Cornholme. *Burn* —7F **7**
Corn Mill La. Ross —2G 29
 (off Greenfield St.)
Corn Mill Yd. *Clay M* —5A **16**
Cornwall Av. *B'brn* —4D **20**
Cornwall Pl. *Chu* —1A **22**
Cornwall Rd. *Rish* —6F **15**
Coronation Av. *B'brn* —6A **18**
Coronation Av. *Pad* —4B **8**
Coronation Gro. *Ross* —4A **30**
Coronation Pl. *Barfd* —5A **4**
Coronation Rd. *Brier* —4D **6**
Coronation St. *Gt Har* —1J **15**
Corporation St. *Acc* —3B **22**
Corporation St. *B'brn* —7H **13**
Corporation St. *Clith* —5D **2**
Corporation St. *Col* —5D **4**
Corwen Clo. *B'brn* —6H **13**
Cotswold Ho. Has —2B 28
 (off Warwick St.)
Cotswold M. *B'brn* —5K **19**
Cottom Cft. *Clay M* —3A **16**
Cotton Ct. *Col* —5F **5**
Cotton Hall St. *Dar* —3E **26**
Cotton St. *Acc* —3C **22**
Cotton St. *Burn* —4J **9**
Cotton St. *Pad* —3B **8**
Cotton Tree La. *Col* —3K **5**
Coultate St. *Burn* —4H **9**
Coulton Rd. *Brier* —2C **6**
Countess Rd. *Lwr D* —6J **19**
Countess St. *Acc* —2A **22**
Court Gro. *Clay D* —2A **14**
Courtyard, The. *Bacup* —2J **31**
Coverdale Dri. *B'brn* —6A **18**
Coverdale Way. *Burn* —3J **9**
Cowan Brae. *B'brn* —6G **13**
Cowell Way. *B'brn* —7G **13**
Cowes Av. *Has* —3C **28**
Cowgill St. *Bacup* —2J **31**
Cowhill La. *Rish* —1E **20**
Cow La. *Burn* —4A **10**
Cowley Cres. *Pad* —3D **8**
Cowper Av. *Clith* —4E **2**
Cowpe Rd. *Ross & Waterf* —5A **30**
Cowper St. *B'brn* —5J **13**
Cowper St. *Burn* —5H **9**
Cowtoot La. *Bacup* —2H **31**
Crabtree Av. *Bacup* —4J **31**
Crabtree Av. *Ross* —3B **30**
Crabtree St. *B'brn* —3A **20**
Crabtree St. *Brier* —4C **6**
Crabtree St. *Col* —4F **5**
Crabtree St. *Ross* —1B **30**
Cracoe Gill. *Barfd* —5A **4**
Craddock Rd. *Col* —3H **5**
Cragg St. *Col* —3F **5**
Cranberry Chase. *Dar* —6G **27**
Cranberry Clo. *Dar* —7H **27**
Cranberry La. *Dar* —6G **27**
Cranberry Ri. *Love* —2G **25**

Cranborne Ter. *B'brn* —6F **13**
Cranbourne Dri. *Chu* —7B **16**
Cranbourne St. *Col* —2H **5**
Cranbrook Av. *Osw* —4H **21**
Cranbrook St. *B'brn* —3G **19**
Cranfield Vw. *Dar* —7G **27**
Crangle Way. *Clith* —3G **3**
Crankshaw St. *Ross* —2G **29**
Cranmer St. *Burn* —4K **9**
Cranshaw Dri. *B'brn* —4H **13**
Cranshaw St. *Acc* —2C **22**
Cranwell Clo. *B'brn* —1J **19**
Cravendale Av. *Nels* —5B **4**
Craven's Av. *B'brn* —6H **19**
Craven's Brow. *B'brn* —6H **19**
Cravens Heath. *B'brn* —7H **19**
Cravens Hollow. *B'brn* —7G **19**
Craven St. *Acc* —3B **22**
Craven St. *Brier* —4C **6**
Craven St. *Burn* —5B **10**
Craven St. *Clith* —6E **2**
Craven St. *Col* —3K **5**
Craven St. *Nels* —1D **6**
Craven St. *Ross* —3F **29**
Crawford St. *Nels* —7B **4**
Crawshaw Dri. *Ross* —6G **25**
Crawshaw Grange. *Craw* —6G **25**
Crawshaw La. *S'fld* —3K **7**
Crediton Clo. *B'brn* —5F **19**
Crescent, The. *B'brn* —4B **18**
Crescent, The. *Burn* —5C **6**
Crescent, The. *Clith* —5D **2**
Crescent, The. *Col* —2G **5**
Crescent, The. *Has* —4B **28**
Crescent, The. *Wors* —5H **11**
Creswick Av. *Burn* —7A **10**
Creswick Clo. *Burn* —7A **10**
Crewdson St. *Dar* —3D **26**
Cribden End La. *Has* —1B **28**
Cribden La. *Raw* —1E **28**
Cribden St. *Ross* —1F **29**
Criccieth Clo. *Has* —4B **28**
Crimea St. *Bacup* —3J **31**
Cringle Fold. *Clith* —3G **3**
Croasdale Av. *Burn* —7E **6**
Croasdale Dri. *Clith* —6F **3**
Croasdale Sq. *B'brn* —2K **19**
Crocus Clo. *Has* —2A **28**
Cft. Head Rd. *Whi I* —6A **14**
Croft St. *Bacup* —2H **31**
Croft St. *Burn* —5B **10**
Croft St. *Clith* —6E **2**
Croft St. *Dar* —4E **26**
Croft St. *Gt Har* —3H **15**
Croft, The. *B'brn* —5G **13**
Croft, The. *Col* —1H **5**
Croft Wood Ter. B'brn —4D 18
Cromer Av. *Burn* —1D **10**
Cromer Gro. *Burn* —1D **10**
Cromer Pl. *B'brn* —5H **13**
Crompton Pl. *B'brn* —7E **12**
Cromwell Av. *Acc* —7C **16**
Cromwell St. *B'brn* —1K **19**
Cromwell St. *Burn* —3A **10**
Cromwell Ter. *Barfd* —5A **4**
Cronkshaw St. *Burn* —3B **10**
Crooked Shore. *Bacup* —2H **31**
Crookhalgh Av. *Burn* —4G **11**
Crosby Clo. *Dar* —7F **27**
Crosby Rd. *Dar* —4H **19**
Crosley Clo. *Acc* —5C **22**
Cross Bank. Pad —2C 8
 (off Hambledon St.)
Cross Barn Gro. *Dar* —5F **27**
Cross Barn Wlk. *Dar* —5F **27**
Cross Ct. *Bacup* —2J **31**
Cross Edge. *Osw* —7B **22**
Crossfield St. *B'brn* —2J **19**
Cross Gates. *Gt Har* —2H **15**
Cross Hagg St. *Col* —4G **5**
Cross Helliwell St. *Col* —4G **5**
Crosshill Rd. *B'brn* —7E **12**
Crosshills. Pad —1B 8
 (off East St.)
Crossland St. *Acc* —3B **22**
Crossley Fold. *Burn* —6J **9**
Cross School St. *Col* —4G **5**
Cross Skelton St. *Col* —3H **5**
Cross St. *Acc* —3D **22**

Cross St. *Brclf* —7G **7**
Cross St. *Brier* —4C **6**
Cross St. *Clay M* —4K **15**
Cross St. *Clith* —5D **2**
Cross St. *Dar* —6F **27**
Cross St. *Lwr D* —6J **19**
Cross St. *Nels* —1E **6**
Cross St. *Osw* —4J **21**
Cross St. *Ross* —5G **25**
Cross St. *Wors* —4J **11**
Cross St. N. *Has* —1B **28**
Cross St. S. *Has* —1B **28**
Cross St. W. *Col* —4E **4**
Croston Clo. *B'brn* —3A **20**
Croston St. *B'brn* —3B **20**
Crown Ho. *Dar* —1D **26**
Crown St. *Acc* —3B **22**
Crown St. *Dar* —5E **26**
Crown Way. *Col* —3F **5**
Crowther Ct. Wors —4J 11
 (off Showfield)
Crowther St. *Burn* —6C **10**
Crowther St. *Clay M* —4K **15**
Crow Tree Av. *Bacup* —5D **30**
Crow Tree Gdns. *Chat* —1K **3**
Crow Trees Brow. *Chat* —1K **3**
Crow Wood Av. *Burn* —3J **9**
Crow Wood Ct. *Burn* —3K **9**
Crow Wood Rd. *Ross* —7D **28**
Crow Woods. *Ram* —7D **28**
Croydon St. *B'brn* —7F **13**
Cuba St. *Nels* —1E **6**
Cuckoo Brow. *B'brn* —4G **13**
Cuckstool La. *Fence* —3A **6**
Cuerdale St. *Burn* —6F **7**
Cuerden St. *Col* —5E **4**
Culshaw St. *B'brn* —7K **13**
Culshaw St. *Burn* —5D **10**
Cumberland Av. *Burn* —3F **9**
Cumberland Av. *Clay M* —4B **16**
Cumberland St. *B'brn* —1K **19**
Cumberland St. *Col* —3H **5**
Cumberland St. *Nels* —7B **4**
Cumbrian Way. *Burn* —2G **9**
Cumpstey St. *B'brn* —2H **19**
Cuncliffe Clo. *Clay M* —5A **16**
Cunliffe Clo. *B'brn* —6A **14**
Cunliffe Ho. Ross —4K 29
 (off Bacup Rd.)
Cunliffe Rd. *B'brn* —6A **14**
Cunningham Gro. *Burn* —4G **9**
Curate St. *Gt Har* —2H **15**
Curlew Clo. *B'brn* —4H **13**
Curlew Clo. *Osw* —5J **21**
Curlew Gdns. *Burn* —5G **9**
Curtis St. *Ross* —2G **29**
Curven Edge. *Ross* —6A **28**
Curve St. *Bacup* —4H **31**
Curzon Pl. *B'brn* —2F **19**
Curzon St. *Burn* —4A **10**
 (in two parts)
Curzon St. *Clith* —5D **2**
Curzon St. *Col* —4H **5**
Cut La. *Rish* —6E **14**
 (in two parts)
Cutler Clo. *B'brn* —7G **13**
Cutler Cres. *Bacup* —6F **31**
Cutler La. *Bacup* —6F **31**
Cypress Ridge. *B'brn* —5C **18**
Cypress St. *Bacup* —5E **30**
Cyprus St. *Dar* —7F **27**

Daffodil Clo. *Has* —5A **28**
Dahlia Clo. *Lwr D* —6K **19**
Daisy Bank. *Bacup* —2H **31**
Daisy Bank Cres. *Burn* —5G **11**
Daisyfield St. *Dar* —1C **26**
Daisy Hill. *Ross* —2G **29**
Daisy St. *B'brn* —6J **13**
Daisy La. *Burn* —6J **13**
Daisy St. *Col* —4G **5**
Dalby Cres. *B'brn* —4D **18**
Dalby Lea. *B'brn* —4D **18**
Dale Clo. Burn —4J 9
 (off Tunnel St.)
Dale Cres. *Burn* —5B **18**
Dalesford. *Has* —4B **28**
Dale St. *Acc* —2B **22**
Dale St. *Bacup* —2H **31**

Dale St. *B'brn* —1G **19**
Dale St. *Brier* —4B **6**
Dale St. *Burn* —4J **9**
Dale St. *Col* —3F **5**
Dale St. *Has* —2B **28**
Dale St. *Nels* —1D **6**
Dale St. *Osw* —4K **21**
Dale St. *Stac* —5E **30**
Dalesway. *Barfd* —5A **4**
Dale Ter. *Chat* —1K **3**
Dale Vw. *B'brn* —7H **19**
Dale Vw. *Ross* —4G **29**
Dalkeith Rd. *Nels* —1D **6**
Dall St. *Burn* —6B **10**
Dalton Clo. *B'brn* —7K **13**
Dalton St. *Burn* —7J **9**
Dalton St. *Nels* —7B **4**
Dame Fold. *Pad* —2B **8**
Dam Side. *Col* —4G **5**
Dandy Row. *Dar* —2G **27**
Dandy Wlk. *B'brn* —1H **19**
Danes Ho. Rd. *Burn* —2B **10**
Dane St. *Burn* —3B **10**
Daniell St. *Clay M* —4K **15**
Daniel St. *Clay M* —4K **15**
Danvers St. *Rish* —5G **15**
Dark La. *Ross* —5K **29**
(in two parts)
Darnley St. *Burn* —5D **10**
Dartford Clo. *B'brn* —1J **19**
Darwen Enterprise Cen. *Dar*
—3E **26**
Darwen Golf Course. —2A **26**
Darwen St. *B'brn* —1H **19**
Darwen St. *Pad* —2B **8**
Darwin St. *Burn* —7B **6**
Davenham Rd. *Dar* —2C **26**
David St. *Bacup* —5F **31**
David St. *Barfd* —4A **4**
David St. *Burn* —6A **10**
Davies Rd. *B'brn* —2C **20**
Davitt Clo. *Has* —2B **28**
Davy Fld. Rd. *B'brn* —7K **19**
Dawlish Clo. *B'brn* —5F **19**
Dawson Sq. *Burn* —3B **10**
Day St. *Nels* —2F **7**
Deal St. *B'brn* —5J **13**
Dean La. *Gt Har & Whal* —1G **15**
(in three parts)
Dean Mdw. *Clith* —6D **2**
Dean Rd. *Has* —4A **28**
Dean Rd. *Helm* —5B **28**
Deansgrave. *Has* —3A **28**
Deansgreave Rd. *Bacup* —5K **31**
Dean St. *B'brn* —1H **19**
Dean St. *Burn* —4K **9**
Dean St. *Dar* —2D **26**
Dean St. *Pad* —1C **8**
Dean St. *Traw* —6J **5**
Dearden Cft. Has —2B 28
(off Ratcliffe St.)
Dearden Ga. *Has* —2B **28**
Deardengate Cft. *Has* —2B **28**
Dearden Nook. *Ross* —4G **29**
Deepdale Ct. *Barfd* —5A **4**
Deepdale Dri. *Burn* —6D **6**
Deepdale Grn. *Barfd* —5A **4**
Deer Pk. *Acc* —7F **17**
Deer Pk. Rd. *Burn* —5F **11**
(in two parts)
Deerplay Clo. *Burn* —7F **7**
Deerstone Av. *Burn* —4D **10**
Deerstone Rd. *Nels* —1J **7**
Deganwy Av. *B'brn* —5H **13**
De Lacy St. *Clith* —5D **2**
Delamere Clo. *B'brn* —3E **18**
Delamere Rd. *Brclf* —6G **7**
Delius Clo. *B'brn* —4K **19**
Dell La. *Hap* —6B **8**
Dell, The. *B'brn* —7G **19**
Delma Rd. *Burn* —5F **11**
Delph App. *B'brn* —4B **20**
Delph Clo. *B'brn* —4B **20**
Delph Ct. *Gt Har* —2H **15**
Delph La. *B'brn* —4B **20**
Delph Mt. *Gt Har* —1G **15**
Delph Mt. *Nels* —2E **6**
Delph Rd. *Gt Har* —2G **15**
Delph Sq. Burn —7E 6
(off Marsden Rd.)

Delph St. *B'brn* —3J **19**
Delph St. *Dar* —2F **27**
Delph St. *Has* —1B **28**
Delves La. *S'fld* —2K **7**
Denbigh Dri. *Clith* —3F **3**
Denbigh Gro. *Burn* —3F **9**
Dene Bank Rd. *Osw* —5K **21**
Dene, The. *B'brn* —4D **12**
Dentdale Clo. *B'brn* —6A **18**
Dent Row. *Burn* —5A **10**
Dent St. *Col* —5E **4**
Denville Rd. *B'brn* —7G **13**
Denville St. *B'brn* —7G **13**
Derby Clo. *Dar* —7F **27**
Derby St. *Acc* —1D **22**
Derby St. *B'brn* —6K **13**
Derby St. *Burn* —5A **10**
Derby St. *Clith* —5F **3**
Derby St. *Col* —3G **5**
Derby St. *Nels* —7B **4**
Derby St. *Rish* —6H **15**
Derham St. *B'brn* —2H **19**
Derwent Av. *Burn* —7B **6**
Derwent Av. *Pad* —1B **8**
Derwent Clo. *Col* —2K **5**
Derwent Clo. *Rish* —6E **14**
Derwent Cres. *Clith* —6C **2**
Derwent St. *Dar* —3D **26**
Devon Av. *Osw* —3G **21**
Devon Cres. *Has* —5B **28**
Devon St. *B'brn* —3F **9**
Devon Pl. *Chu* —3K **21**
Devonport Ct. *B'brn* —7F **13**
(off Johnston St.)
Devonport Rd. *B'brn* —7F **13**
Devon Rd. *B'brn* —3B **20**
Devonshire Dri. *Clay M* —4A **16**
Devonshire Rd. *Burn* —3B **10**
Devonshire Rd. *Rish* —6F **15**
Devonshire St. *Acc* —1C **22**
Devonshire Ter. Burn —3B 10
(off Devonshire Rd.)
Devon St. *Col* —2H **5**
Devon St. *Dar* —7F **27**
Dewan Ind. Est. *Has* —5B **28**
Dewhurst Clo. *Dar* —7F **27**
Dewhurst St. *B'brn* —1K **19**
(in two parts)
Dewhurst St. *Col* —5G **5**
Dewhurst St. *Dar* —7F **27**
Dickens St. *B'brn* —2J **19**
Dickinson Clo. *B'brn* —2F **19**
Dickinson St. *B'brn* —2G **19**
Dickson St. *Burn* —4H **9**
Dickson St. *Col* —2H **5**
Didsbury St. *B'brn* —3B **20**
Dill Hall La. *Chu* —1A **22**
Dimmock St. *B'brn* —3F **19**
Dinckley Sq. *B'brn* —6E **12**
Dineley St. *Chu* —2A **22**
Disraeli St. *Burn* —7B **6**
Dixon St. *Barfd* —5A **4**
Dixon St. *B'brn* —1F **19**
Dobbin Clo. *Ross* —3J **29**
Dobbin Ct. Ross —3J 29
(off Dobbin La.)
Dobbin Fold. *Ross* —3J **29**
Dobbin La. *Ross* —3J **29**
Dobson St. *Dar* —3D **26**
Dockray St. *Col* —3H **5**
Dock St. *B'brn* —7K **13**
Dombey St. *B'brn* —1K **19**
(in two parts)
Dominica Av. *Lwr D* —7J **19**
Dominion Dri. *Burn* —6G **9**
Dominion Rd. *B'brn* —4F **13**
Dorchester Av. *Osw* —3H **21**
Dorchester Clo. *B'brn* —5A **20**
Doris St. *Burn* —4C **10**
Dorothy St. *B'brn* —5F **19**
Dorritt St. *B'brn* —2K **19**
Dorset Av. *Dar* —2D **26**
Dorset Av. *Pad* —3C **8**
Dorset Dri. *B'brn* —4D **20**
Dorset Dri. *Clith* —3F **3**
Dorset Dri. *Has* —5A **28**
Dorset Pl. *Chu* —1A **22**
Dorset Rd. *Rish* —6F **15**
Dorset St. *Burn* —4F **9**
Double Row. *Pad* —2A **8**

Doughty St. *Col* —4G **5**
Douglas Gro. *Dar* —1B **26**
Douglas Pl. *B'brn* —3J **13**
Douglas Rd. *Bacup* —4J **31**
Douglas Rd. *Brclf* —6H **7**
Douglas St. *Col* —2H **5**
Douglas Way. *Brclf* —6H **7**
Dove Ct. *Burn* —7C **6**
(off Shuttleworth St.)
Dovedale Clo. *Burn* —5D **6**
Dovedale Dri. *Burn* —2H **9**
Dove La. *Dar* —3D **26**
Dover Clo. *B'brn* —4B **20**
Dover St. *Acc* —4B **22**
Dover St. *Lwr D* —6J **19**
Dover St. *Nels* —7B **4**
Downham Av. *Gt Har* —1K **15**
Downham Av. *Ross* —1G **29**
Downham Dri. *Acc* —6B **22**
Downham Gro. *Burn* —5E **10**
Downham Rd. *Chat* —1K **3**
Downham St. *B'brn* —1F **19**
Dowry St. *Acc* —2D **22**
Dragon St. *Pad* —2B **8**
Drammen Av. *Burn* —5G **9**
Drew St. *Burn* —5G **9**
(in two parts)
Driver St. *Ross* —5G **25**
Drive, The. Bacup —3H 31
(off Market St.)
Driving Ga. *Ross* —3G **25**
Dryden Gro. *Gt Har* —3G **15**
Dryden St. *Clay M* —4A **16**
Dryden St. *Pad* —3C **8**
(in two parts)
Duchess St. *Lwr D* —6J **19**
Duckett St. *Burn* —4K **9**
Duckshaw Rd. *Dar* —7D **26**
Duck St. *Clith* —5F **3**
Duckworth Hall Brow. *Acc*
—7F **21**
Duckworth Hill La. *Osw* —7F **21**
Duckworth La. *Ross* —5E **28**
Duckworth St. *Barfd* —6A **4**
Duckworth St. *B'brn* —2G **19**
Duckworth St. *Chu* —2K **21**
Duckworth St. *Dar* —3D **26**
Duddon Av. *Dar* —2C **26**
Dudley Av. *Osw* —4H **21**
Dudley St. *Brier* —4D **6**
Dudley St. *Col* —3J **5**
Duerden St. *Nels* —1E **6**
Dugdale Rd. *Burn* —3G **9**
Dugdale St. Burn —5B 10
(off Red Lion St.)
Duke of Sussex St. *B'brn* —5E **18**
Dukes Brow. *B'brn* —6E **12**
Dukes Ct. *B'brn* —6E **12**
Dukes Dri. *Hodd* —4J **27**
Duke St. *B'brn* —7G **13**
Duke St. *Brclf* —6G **7**
Duke St. *Burn* —6C **10**
Duke St. *Clay M* —5A **16**
Duke St. *Col* —4G **5**
Duke St. *Gt Har* —2G **15**
Duke St. *Osw* —5J **21**
Duke St. *Ross* —5A **30**
Duncan Clo. *Burn* —5G **11**
Duncan St. *Burn* —5F **9**
Dun Cft. Clo. *Clith* —3E **2**
Dundas St. Col —4F 5
(off John St.)
Dundee Dri. *B'brn* —1K **19**
Dunderdale Av. *Nels* —2D **6**
Dundonnell Rd. *Nels* —7D **4**
Dunkenhalgh Way. *Acc* —6K **15**
Dunny Shop Av. *Acc* —4B **22**
Dunoon Dri. *B'brn* —5C **20**
Dunoon St. *Burn* —5J **9**
Dunsop St. *B'brn* —6J **13**
Dunster Av. *Osw* —3H **21**
Dunster Gro. *Clith* —7C **2**
Durban Gro. *Burn* —6K **9**
Durham Av. *Burn* —3G **9**
Durham Clo. *B'brn* —1J **19**
Durham Dri. *B'brn* —2B **14**
Durham Dri. *Osw* —5A **22**
Durham Rd. *Dar* —3C **26**
Durham Rd. *Wilp* —2B **14**
Durham St. *Acc* —1E **22**

Dutton St. *Acc* —2D **22**
Duxbury St. *Dar* —7F **27**
Dyke Nook. *Clith* —6F **3**
Dyneley Av. *Burn* —6G **11**
Dyneley Rd. *B'brn* —1B **20**
Dyson St. *B'brn* —3G **19**

Eachill Gdns. *Rish* —7G **15**
Eachill Rd. *Rish* —6G **15**
Eagle St. *Acc* —3C **22**
Eagle St. *B'brn* —4B **20**
Eagle St. *Nels* —7C **4**
Eagle St. *Osw* —6H **21**
Eagley Rd. *Brier* —5D **6**
Eanam. *B'brn* —7J **13**
Eanam Old Rd. *B'brn* —7J **13**
Eanam Wharf. *B'brn* —7J **13**
Eanam Wharf Vis. Cen. —7J 13
(off Eanam Wharf)
Earls Dri. *Hodd* —4J **27**
Earl St. *B'brn* —5H **13**
Earl St. *Burn* —2C **10**
Earl St. *Clay M* —5A **16**
Earl St. *Col* —4G **5**
Earl St. *Gt Har* —2G **15**
Earl St. *Nels* —7C **4**
Earnsdale Av. *Dar* —3B **26**
Earnsdale Clo. *Dar* —3C **26**
Earnsdale Rd. *Dar* —2C **26**
Earnshaw Rd. *Bacup* —2H **31**
Easedale Clo. *Burn* —2G **9**
Easington Wlk. *B'brn* —2J **19**
East Bank. *Barfd* —4A **4**
E. Bank Av. *Has* —3B **28**
Eastcott Clo. *B'brn* —5K **19**
East Cres. *Acc* —7C **16**
East Cft. *Nels* —7E **4**
Eastern Av. *Burn* —2D **10**
Eastgate. *Acc* —2C **22**
East Ga. *Has* —2B **28**
Eastham Pl. *Burn* —4C **10**
Eastham St. *Burn* —5C **10**
Eastham St. *Clith* —4E **2**
East Lancashire Railway. —4F **29**
E. Lancashire Rd. *B'brn* —1J **13**
Eastmoor Dri. *Clith* —6F **3**
East Pde. *Ross* —2G **29**
East Pk. Av. *B'brn* —5G **13**
East Pk. Av. *Dar* —5D **26**
East Pk. Rd. *B'brn* —6G **13**
East St. *B'brn* —2F **19**
East St. *Brier* —4D **6**
East St. *Fen* —5A **18**
East St. *Hap* —6B **8**
East St. *Helm* —6A **28**
East St. *Nels* —7A **4**
East St. *Pad* —1B **8**
East St. *Raw* —7F **25**
East Vw. Acc —4A 24
(off Hoyle St.)
East Vw. *Bacup* —3H **31**
East Vw. *Ross* —4B **30**
East Vw. *Traw* —6K **5**
Eastwood Cres. *Ross* —3J **29**
Eastwood St. *B'brn* —5K **13**
Eastwood St. *Ross* —3J **29**
Eaves Clo. *Hun* —6G **17**
Ebony St. *B'brn* —5K **13**
Ebor St. *Burn* —7C **6**
Eccleshill Cotts. *E'hill* —1G **27**
Eccleshill Gdns. *E'hill* —1H **27**
Eccleshill St. *Pad* —2B **8**
Eccles St. *Acc* —1C **22**
Eccles St. *B'brn* —2H **19**
Eclipse Rd. *B'brn* —5A **18**
Ecroyd St. *Nels* —1D **6**
Edale Av. *Has* —3C **28**
Eden Clo. *Barfd* —4A **4**
Edensor Ter. *Dar* —3D **26**
Eden St. *Acc* —3B **22**
Eden St. *B'brn* —7K **13**
Edgar St. *Acc* —2C **22**
Edgar St. *Hun* —5F **17**
Edgar St. *Nels* —6C **4**
Edge End. *Gt Har* —2G **15**
Edge End Av. *Brier* —3E **6**
Edge End La. *Gt Har* —2G **15**
(in two parts)
Edge End La. *Nels* —3D **6**

Edge End La. *Ross* —6G **25**
Edge End Rd. *Gt Har* —2G **15**
Edge La. *Ross* —3J **29**
Edgeley Ct. *Burn* —3J **9**
Edge Nook Rd. *B'brn* —7C **20**
Edgeside. *Gt Har* —2G **15**
Edgeside La. *Ross* —2B **30**
Edgeware Rd. *B'brn* —6F **13**
Edge Yate La. *Ross* —7H **25**
Edgworth Gro. *Burn* —4D **10**
Edinburgh Dri. *Osw* —5A **22**
Edinburgh Rd. *Has* —5A **28**
Edisford Rd. *Clith* —6B **2**
Edisford Rd. *Wadd* —1B **2**
Edison St. *Dar* —4D **26**
Edith St. *B'brn* —1K **19**
Edith St. *Nels* —1G **7**
Edleston St. *Acc* —3A **22**
Edmonton Dri. *B'brn* —4D **12**
Edmund Gennings Ct. *Chat* —1K **3**
Edmundson St. *B'brn* —7F **13**
Edmundson St. *Chu* —2K **21**
Edmund St. *Acc* —3D **22**
Edmund St. *B'brn* —6G **19**
Edmund St. *Burn* —1C **10**
Edmund St. *Dar* —4F **27**
Edward Ct. *Chu* —2K **21**
Edward St. *Bacup* —2J **31**
Edward St. *Bax* —7F **23**
Edward St. *Burn* —4B **10**
Edward St. *Chu* —2K **21**
Edward St. *Craw* —4G **25**
Edward St. *Dar* —3E **26**
Edward St. *Gt Har* —2H **15**
Edward St. *Has* —6B **24**
Edward St. *Nels* —5C **4**
(in two parts)
Edward St. *Rish* —6G **15**
Egypt Mt. *Ross* —3E **28**
Egypt Ter. *Ross* —4E **28**
Elder Ct. *Acc* —7F **17**
Elder St. *Nels* —6C **4**
Eldon Rd. *B'brn* —5G **13**
Eldwick St. *Burn* —1D **10**
Eleanor St. *B'brn* —7J **13**
Eleanor St. *Nels* —7B **4**
Electricity St. *Acc* —1C **22**
Elgar Clo. *B'brn* —3K **19**
Elgin Cres. *Burn* —6J **9**
Elim Gdns. *B'brn* —4F **19**
Elim Pl. *B'brn* —4F **19**
Elim Vw. *Burn* —7E **6**
Elizabeth Dri. *Has* —5A **28**
Elizabeth Ho. *B'brn* —5A **20**
Elizabeth Ho. *Dar* —4F **27**
Elizabeth St. *Acc* —3A **22**
Elizabeth St. *B'brn* —7J **13**
Elizabeth St. *Burn* —5B **10**
Elizabeth St. *Nels* —7B **4**
Elizabeth St. *Pad* —3B **8**
Elizabeth St. *Ross* —1B **30**
Eliza St. *Burn* —5C **10**
Elland Rd. *Brier* —3D **6**
Ellenshaw Clo. *Dar* —4F **27**
Ellen St. *Dar* —6E **26**
Ellen St. *Nels* —1E **6**
Ellerbeck Clo. *Burn* —6F **7**
Ellerbeck Rd. *Acc* —1C **22**
Ellerbeck Rd. *Dar* —4F **27**
Ellesmere Av. *Col* —3J **5**
Ellesmere Rd. *Dar* —2C **26**
Elliott Av. *Dar* —7F **27**
Elliott St. *Burn* —5D **10**
Ellison Fold. *Clay M* —4K **15**
Ellison Fold La. *Dar* —4G **27**
Ellison Fold Ter. *Dar* —4F **27**
Ellison St. *Acc* —2C **22**
Ellison St. *Dar* —3E **26**
Ellis St. *Burn* —5K **9**
Elm Clo. *Has* —2B **28**
Elm Clo. *Rish* —7G **15**
Elmfield St. *Chu* —1A **22**
Elm Gro. *Dar* —2F **27**
Elm Mill. *B'brn* —2B **10**
Elm St. *Bacup* —2J **31**
Elm St. *B'brn* —5K **13**
Elm St. *Burn* —1B **10**
Elm St. *Col* —2H **5**
Elm St. *Gt Har* —3H **15**
Elm St. *Has* —2B **28**

Elm St. *Nels* —7B **4**
Elm St. *Raw* —2G **9**
Elmwood Clo. *Acc* —2E **22**
Elmwood St. *Burn* —5J **9**
Elswick Gdns. *Mel* —1A **12**
Elswick Lodge. *Mel* —1B **12**
Elswick St. *Dar* —4F **27**
Ely Clo. *Dar* —4G **27**
Ely Clo. *Wilp* —2B **14**
Emerald Av. *B'brn* —2J **13**
Emerald St. *B'brn* —2J **13**
Emily St. *B'brn* —6K **13**
Emily St. *Burn* —6B **10**
Emma St. *Acc* —2A **22**
Empire St. *Gt Har* —1J **15**
Empress St. *Acc* —2A **22**
Empress St. *Col* —3H **5**
Empress St. *Lwr D* —6J **19**
End St. *Col* —1J **5**
Enfield Rd. *Acc* —5E **16**
Ennerdale Av. *B'brn* —5B **20**
Ennerdale Clo. *Clith* —6C **2**
Ennerdale Clo. *Osw* —3J **21**
Ennerdale Rd. *Burn* —5F **11**
Ennerdale Rd. *Clith* —6C **2**
Ennismore St. *Burn* —1D **10**
Enterprise Ct. *Hun I* —6E **16**
Enterprise Way. *Col* —5C **4**
Entwistle Rd. *Acc* —7C **16**
Entwistle St. *Dar* —4E **26**
Epsom Way. *Acc* —3E **22**
Epworth St. *Dar* —7F **27**
Equity St. *Dar* —5E **26**
Ermine Clo. *B'brn* —5K **19**
Ernest St. *Bacup* —5K **31**
Ernest St. *Chu* —2K **21**
Ernest St. *Clay M* —6A **16**
Ernloam Clo. *B'brn* —5D **18**
Escar St. *Burn* —5A **10**
Escott Gdns. *Burn* —2B **10**
Eshton Ter. *Clith* —6D **2**
Eskdale Clo. *Burn* —5C **6**
Eskdale Cres. *B'brn* —5B **18**
Eskdale Gdns. Pad —1B **8**
(off Windermere Rd.)
Esplanade, The. *Rish* —7E **14**
Essex Av. *Burn* —3G **9**
Essex Clo. *B'brn* —2G **19**
Essex Rd. *Rish* —6F **15**
Essex St. *Acc* —2E **22**
Essex St. *Col* —4H **5**
Essex St. *Dar* —4F **27**
Essex St. *Nels* —7B **4**
Esther St. *B'brn* —3B **20**
Ethersall Rd. *Nels* —3F **7**
Eton Av. *Acc* —1D **22**
Eton Clo. *Pad* —4D **8**
Euro Trad. Est. *B'brn* —5J **13**
Evans St. *Burn* —6A **10**
Evelyn Rd. *Dar* —1C **26**
Evelyn St. *Burn* —1B **10**
Evergreens, The. *B'brn* —5C **18**
Everton. *B'brn* —4K **19**
Everton St. *Dar* —4D **26**
Every St. *Brier* —3C **6**
Every St. *Burn* —5K **9**
Every St. *Nels* —7B **4**
Evesham Clo. *Acc* —1B **22**
Ewood. *B'brn* —4G **19**
Ewood Ct. *B'brn* —3F **19**
Ewood La. *Has* —6C **28**
Exchange St. *Acc* —3A **22**
Exchange St. *B'brn* —7H **13**
Exchange St. *Col* —4G **5**
Exchange St. *Dar* —3E **26**
Exeter St. *B'brn* —3F **19**
Exmouth St. *Burn* —5B **10**
Exton St. *Brier* —4B **6**
Extwistle St. *Wors* —5J **11**
Extwistle Sq. *Burn* —5F **11**
Extwistle St. *Burn* —2B **10**
Extwistle St. *Nels* —2E **6**

F

Factory La. *Barfd* —4A **4**
Factory La. *Pad* —1B **8**
Fairbairn Av. *Burn* —2H **9**
Fairbank Wlk. *Love* —2G **25**
Fairclough Rd. *Acc* —5B **22**
Fairfield Av. *Ross* —3B **30**

Fairfield Clo. *Clith* —6C **2**
Fairfield Dri. *Burn* —6C **6**
Fairfield Dri. *Clith* —6C **2**
Fairfield Dri. *Clith* —6C **2**
Fairfield Rd. *Nels* —1J **7**
Fairfields Dri. *Lwr D* —7J **19**
Fairfield St. *Acc* —4A **22**
Fairhaven Rd. *B'brn* —4J **19**
Fair Hill. *Ross* —6A **28**
Fairhill Ter. *Ross* —6A **28**
Fairholme Rd. *Burn* —7C **10**
Fairhope Ct. *B'brn* —6F **13**
Fairview. *Ross* —7F **25**
Fair Vw. Cres. *Bacup* —3K **31**
Fair Vw. Rd. *Burn* —5C **10**
Fairways St. *Wilp* —3B **14**
Fairweather Ct. *Pad* —1C **8**
Falcon Av. *Dar* —2C **26**
Falcon Clo. *B'brn* —4G **13**
Falcon Ct. *Clay M* —5A **16**
Fallbarn Cres. *Ross* —4F **29**
Fallbarn Rd. *Ross* —3H **29**
(in two parts)
Fallowfield Dri. *Burn* —2J **9**
Falmouth Av. *Has* —3C **28**
Faraday Av. *Clith* —5D **2**
Faraday St. *Burn* —3H **9**
Farholme La. *Bacup* —5F **31**
Farm Av. *Bacup* —1H **31**
Farmer's Row. *B'brn* —6E **18**
Farm Ho. Clo. *B'brn* —4B **20**
Farndean Way. *Col* —4H **5**
Faroes Clo. *B'brn* —4J **19**
Farrer St. *Nels* —1D **6**
Farrington Clo. *Burn* —7H **9**
Farrington Ct. *Burn* —7H **9**
Farrington Pl. *Burn* —7H **9**
Farrington Rd. *Burn* —7G **9**
Favordale Rd. *Col* —2K **5**
Fawcett Clo. *B'brn* —2G **19**
Fearns Moss. *Bacup* —4C **30**
Fecitt Brow. *B'brn* —4B **20**
Fecitt Rd. *B'brn* —6E **12**
Feilden Pl. *B'brn* —5A **18**
Feilden St. *B'brn* —1G **19**
Felix St. *Burn* —3C **10**
Fell Rd. *Wadd* —1B **2**
Fell Vw. *Burn* —6E **6**
Feniscliffe Dri. *B'brn* —3C **18**
Fennyfold Ter. *Pad* —4B **8**
Fenwick St. *Burn* —7J **9**
Ferguson St. *B'brn* —6G **19**
Fern Av. *Osw* —5A **22**
Fernbank Ct. *Nels* —2F **7**
Ferndale. *B'brn* —6K **13**
Ferndale St. *Burn* —2D **10**
Fern Gore Av. *Acc* —5B **22**
Fernhill Av. *Bacup* —5G **31**
Fernhill Clo. *Bacup* —5G **31**
Fernhill Cres. *Bacup* —5G **31**
Fernhill Dri. *Bacup* —5F **31**
Fernhill Gro. *Bacup* —4G **31**
Fernhill Pk. *Bacup* —5G **31**
Fernhill Way. *Bacup* —5G **31**
Fernhurst St. *B'brn* —5G **19**
Fernlea Av. *Bacup* —5A **22**
Fernlea Clo. *Bacup* —5E **18**
Fernlea Dri. *Clay M* —3K **15**
Fern Lea St. *Ross* —5K **29**
Fern Rd. *Burn* —6K **9**
Ferns, The. *Bacup* —4J **31**
Fern St. *Bacup* —2H **31**
Fern St. *Col* —2J **5**
Fern St. *Ross* —6A **30**
Fern Ter. *Has* —2A **28**
Fernville Ter. *Bacup* —5F **31**
Ferrier Clo. *B'brn* —3B **20**
Ferrier Ct. *B'brn* —3B **20**
Fielden St. *B'brn* —5H **9**
Fielding Cres. *B'brn* —4D **18**
Fielding La. *Gt Har* —2G **15**
Fielding La. *Osw* —5K **21**
Fielding St. *Rish* —6H **15**
Fields Rd. *Has* —4C **28**
Field St. *B'brn* —3E **18**
Field St. *Pad* —3B **8**
Fife St. *Acc* —3B **22**
Fife St. *Barfd* —1D **6**
Fifth Av. *Burn* —7C **6**
Finch Clo. *B'brn* —6J **13**
Finch St. *Dar* —3D **26**

Finsbury Pl. *B'brn* —6G **19**
Finsley Ga. *Burn* —5A **10**
Finsley St. *Brclf* —6F **7**
Finsley Vw. *Brclf* —6G **7**
Fir Ct. *Acc* —7F **17**
Fir Gro. Rd. *Burn* —6C **10**
Fir Mt. *Bacup* —4J **31**
First Av. *Chu* —6B **16**
Fir St. *Burn* —5C **10**
Fir St. *Has* —3C **28**
Fir St. *Nels* —1G **7**
Firtrees Dri. *B'brn* —5C **18**
Fishmoor Dri. *B'brn* —5J **19**
Fish Rake La. *Ross* —7D **28**
Flag St. *Bacup* —5G **31**
Flax Clo. *Has* —5A **28**
Flaxmoss Clo. *Helm* —5A **28**
Fleet St. *Nels* —7B **4**
Fleet Wlk. *Burn* —4B **10**
Fleetwood Clo. *B'brn* —4J **19**
Fleetwood Rd. *Burn* —7D **6**
Fleetwood Rd. *Pad* —2C **8**
Fleming Sq. *B'brn* —1H **19**
Fletcher Rd. *Rish* —7F **15**
Fletcher St. *B'brn* —2G **19**
Fletcher St. *Nels* —2G **7**
Flimby Clo. *B'brn* —5J **19**
Flip Rd. *Has* —2A **28**
Florence Av. *Burn* —5H **9**
Florence Pl. *B'brn* —6K **13**
Florence St. *B'brn* —6K **13**
Florence St. *Burn* —5H **9**
Florence St. *Chu* —2K **21**
Folds St. *Burn* —2A **10**
Fold, The. *Barfd* —3B **4**
Folly Bank. *Ross* —4G **25**
Folly Ter. *Ross* —4G **25**
Forbes Ct. *Burn* —7F **9**
Fordside Av. *Clay M* —3K **15**
Ford St. *Barfd* —4B **4**
Ford St. *Burn* —1C **10**
Foreside. *Barfd* —3B **4**
Forest Bank. *Ross* —5G **25**
Forest Bank Rd. *Ross* —5G **25**
Fore St. *Lwr D* —6J **19**
Forestside. *B'brn* —6G **19**
Forest St. *Bacup* —3H **31**
Forest St. *Burn* —4B **10**
Forest St. *Nels* —7A **4**
(in two parts)
Forest Vw. *Barfd* —5A **4**
Forfar Gro. *Burn* —7J **9**
Forfar St. *Burn* —7J **9**
Forge St. *Bacup* —3H **31**
Formby Clo. *B'brn* —5J **19**
Forrest St. *B'brn* —7K **13**
Fort St. *Acc* —2C **22**
Fort St. *B'brn* —7K **13**
Fort St. *Clay M* —4A **16**
Fort St. *Clith* —6D **2**
Fort St. Ind. Est. *B'brn* —6K **13**
Fosse Clo. *B'brn* —5K **19**
Foster St. *Acc* —1D **22**
Fothergill St. *Col* —3F **5**
Fould Clo. *Col* —5F **5**
Foulds Rd. *Traw* —5J **5**
Foulds Ter. *Traw* —6K **5**
Foundry St. *Bacup* —3H **31**
Foundry St. *B'brn* —1F **19**
Foundry St. *Burn* —4A **10**
Foundry St. *Dar* —4E **26**
Foundry St. *Has* —3B **28**
Foundry St. *Ross* —4F **29**
Fountain Pl. *Acc* —3C **22**
Fountain Retail Pk. *Acc* —2B **22**
Fountains Av. *B'brn* —7A **14**
Fountain Sq. *Barfd* —4A **4**
Fountain St. *Acc* —4B **22**
Fountain St. *Col* —4G **5**
Fountain St. *Dar* —5E **26**
Fountain St. *Nels* —7B **4**
Fountains Way. *Osw* —3G **21**
Fouracre. *Mel* —2B **12**
Four La. Ends Rd. *Bacup* —5D **30**
Fowler Height Clo. *B'brn* —6E **18**
Foxcroft. *B'brn* —2J **9**
Foxdale Clo. *Bacup* —4J **31**
Foxhill Bank. *Chu* —3J **21**
Foxhill Bank Brow. *Chu* —3K **21**

Foxhill Dri. *Ross* —1B **30**
Foxhill Ter. *Acc* —4K **21**
Foxhill W. *Osw* —4K **21**
Fox Ho. St. *B'brn* —7F **13**
Foxstones Cres. *B'brn* —5D **18**
Foxstones La. *Cliv* —7H **11**
Fox St. *Acc* —2C **22**
Fox St. *Burn* —4E **8**
Fox St. *Clith* —4E **2**
Foxwell Clo. *Has* —3C **28**
Foxwood Chase. *Acc* —7F **17**
Frances St. *Dar* —3D **26**
France St. *B'brn* —1G **19**
France St. *Chu* —2K **21**
Francis Av. *Barfd* —3B **4**
Francis St. *B'brn* —4E **18**
Francis St. *Burn* —1H **10**
Francis St. *Clay M* —4A **16**
Francis St. *Col* —5E **4**
Franklin Rd. *B'brn* —2D **18**
Franklin St. *Burn* —4H **9**
Franklin St. *Clith* —6D **2**
Franklin St. *Dar* —4E **26**
Frank St. *Clay M* —6B **16**
Fraser St. *Acc* —4B **22**
Fraser St. *Burn* —1C **10**
Freckleton St. *B'brn* —1G **19**
(in two parts)
Frederick Row. *B'brn* —3A **20**
Frederick St. *Acc* —2B **22**
Frederick St. *B'brn* —2H **19**
Frederick St. *Dar* —3E **26**
Frederick St. *Osw* —4K **21**
Free La. *Ross* —7A **28**
Free Trade St. *Burn* —4A **10**
French Clo. *B'brn* —1E **18**
French Rd. *B'brn* —1E **18**
Freshfield Av. *Clay M* —4K **15**
Friar Ct. *Acc* —2D **22**
Fry St. *Nels* —1G **7**
Fulham St. *Nels* —6C **4**
Fullers Ter. Bacup —4H **31**
(off Park Rd.)
Full Vw. *B'brn* —5E **18**
Furness Av. *B'brn* —7A **14**
Furness St. *Burn* —1C **10**
Further Ga. *B'brn* —3A **20**
Furthergate Ind. Est. *B'brn* —3A **20**
Further La. *Sam & Mel* —3A **12**
Further Wilworth. *B'brn* —2H **13**

Gables, The. *Dar* —1C **26**
Gadfield St. *Dar* —5F **27**
Gaghills Rd. *Ross* —4B **30**
Gaghills Ter. Ross —4B **30**
(off Gaghills Rd.)
Gainsborough Av. *B'brn* —6F **13**
Gainsborough Av. *Burn* —7K **9**
Galligreaves St. *B'brn* —2G **19**
Galligreaves Way. *B'brn* —2F **19**
Gambleside Clo. *Ross* —3G **25**
Game St. *Gt Har* —2H **15**
Gannow La. *Burn* —4G **9**
Garbett St. *Acc* —4B **22**
Garden Sq. *Traw* —6J **5**
Garden St. *Acc* —1C **22**
Garden St. *B'brn* —1F **19**
Garden St. *Brier* —4C **6**
Garden St. *Col* —4G **5**
Garden St. *Gt Har* —3H **15**
Garden St. *Nels* —1F **7**
Garden St. *Osw* —4J **21**
Garden St. *Pad* —1B **8**
Garden Va. Bus. Pk. *Col* —4E **4**
Garfield St. *Acc* —3E **22**
Garnett Rd. *Clith* —6C **2**
Garnett St. *Barfd* —6A **4**
Garnett St. *Dar* —4F **27**
Garrick St. *Nels* —6C **4**
Garsdale Av. *Burn* —5C **6**
Garsden Av. *B'brn* —6D **20**
Garstang St. *Dar* —3E **26**
Garswood Clo. *Burn* —7A **6**
Gas St. *Bacup* —3H **31**
Gas St. *Burn* —4A **10**
Gas St. *Has* —4A **28**
Gatefield Ct. Burn —6B **10**
(off Hollingreave Rd.)
Gate St. *B'brn* —7K **13**

Gawthorpe Edge Pk. *Pad* —3E **8**
Gawthorpe Hall. —1E **8**
Gawthorpe Rd. *Burn* —3J **9**
Gawthorpe St. *Pad* —1B **8**
Gayle Way. Acc —4A **22**
(off Lynton Rd.)
Geddes St. *B'brn* —3B **20**
Genoa St. *Burn* —6H **9**
George Av. *Gt Har* —3G **15**
George's Row. *Ross* —5B **30**
George St. *Acc* —4A **22**
George St. *Bacup* —3J **31**
George St. *B'brn* —1H **19**
George St. *Burn* —5A **10**
George St. *Clay M* —4A **16**
George St. *Clith* —7D **2**
George St. *Dar* —3E **26**
George St. *Gt Har* —2H **15**
George St. *Has* —2B **28**
George St. *Nels* —7A **4**
George St. *Osw* —3K **21**
George St. *Rish* —6G **15**
George St. *Stac* —5E **30**
George St. W. *B'brn* —1F **19**
Gerald Ct. Burn —6C **10**
(off Kirkgate)
Gertrude St. *Nels* —6C **4**
Gib Fld. Rd. *Col* —5D **4**
Gib Hill La. *Ross* —3H **25**
Gib Hill Rd. *Nels* —7E **4**
Gib La. *B'brn* —5D **18**
Gibraltar St. *B'brn* —6E **12**
Gibson St. *Nels* —6C **4**
Gilbert St. *Burn* —7F **7**
Gilbert St. *Ross* —4K **29**
Giles St. *Clith* —6E **2**
Giles St. *Nels* —7B **4**
Gillibrand St. *Dar* —2D **26**
Gillies St. *Acc* —2D **22**
Gillies St. *B'brn* —2J **19**
Gills Cft. *Clith* —7F **3**
Gill St. *Burn* —4K **9**
Gill St. *Col* —5E **4**
Gill St. *Nels* —7A **4**
Girvan Gro. *Burn* —5J **9**
Gisburn Gro. *Burn* —5E **10**
Gisburn Rd. *Barfd* —6A **4**
Gisburn Rd. *Black* —1A **4**
Gisburn St. *B'brn* —1F **19**
Glade, The. *B'brn* —7H **19**
Gladstone Cres. *Bacup* —3J **31**
Gladstone St. *Bacup* —3J **31**
Gladstone St. *B'brn* —2A **20**
Gladstone St. *Gt Har* —2H **15**
Gladstone Ter. *Barfd* —5A **4**
Gladstone Ter. *B'brn* —4C **18**
Glamorgan Gro. *B'brn* —3F **9**
Glasson Clo. *B'brn* —4J **19**
Glebe Clo. *Acc* —3C **22**
Glebe St. *Burn* —6B **10**
Glebe St. *Gt Har* —2H **15**
Glenborough Av. *Bacup* —5E **30**
Glenbrook Clo. *B'brn* —5E **18**
Glencarron Clo. *Hodd* —5K **27**
Glencoe Av. *Hodd* —4J **27**
Glen Cres. *Bacup* —5C **30**
Glendale Clo. *Burn* —7B **10**
Glendale Dri. *Mel* —2B **12**
Glendene Pk. *Clay D* —3A **14**
Glendor Rd. *Burn* —5F **11**
Gleneagles Av. *Hodd* —4J **27**
Gleneagles Ct. *B'brn* —5B **20**
Glenfield Clo. *B'brn* —1A **20**
Glenfield Pk. Bus. Cen. *B'brn*
—1A **20**
Glenfield Pk. Ind. Est. *B'brn*
—7A **14**
Glenfield Pk. Ind. Est. *Nels* —7D **4**
Glenfield Rd. *Nels* —7C **4**
Glengreave Av. *Rams* —1H **13**
Glenluce Cres. *B'brn* —5C **20**
Glenmore Clo. *Acc* —6F **23**
Glen Rd. *Ross* —5B **30**
Glenroy Av. *Col* —2G **5**
Glenshiels Av. *Hodd* —4J **27**
Glen Sq. *Burn* —7A **10**
Glen St. *Bacup* —5G **31**
Glen St. *Burn* —4K **9**
Glen St. *Col* —2G **5**
Glen Ter. *Ross* —5B **30**

Glen, The. *B'brn* —7G **19**
Glen Vw. Rd. *Burn* —7K **9**
Glen Way. *Brier* —4B **6**
Global Way. *Dar* —1E **26**
Gloucester Av. *Acc* —1B **22**
Gloucester Av. *Clay M* —4A **16**
Gloucester Rd. *B'brn* —3B **20**
Gloucester Rd. *Rish* —6E **14**
Glynn St. *Chu* —1A **22**
Godiva St. *Burn* —1B **10**
Godley St. *Burn* —4C **10**
Goitside. *Nels* —7B **4**
Goit St. *B'brn* —3F **19**
Goldacre La. *Gt Har* —1G **15**
Goldfield Av. *Burn* —4G **11**
Goldfinch Grn. *Burn* —5H **9**
Goldhey St. *B'brn* —5K **13**
Goodshaw Av. *B'brn* —4H **13**
Goodshaw Av. *Ross* —3G **25**
Goodshaw Av. N. *Ross* —2G **25**
Goodshaw Clo. *B'brn* —4H **13**
Goodshaw Fold Clo. *Raw* —2G **25**
Goodshaw Fold Rd. *Ross* —2F **25**
Goodshaw La. *Ross* —4G **25**
Goodshaw La. *Stone* —7J **23**
Goosebutts La. *Clith* —6F **3**
Goose Hill St. *Bacup* —2H **31**
Goose Ho. La. *Dar* —1E **26**
Goose La. *Traw* —6J **5**
Gordon Av. *Acc* —4B **22**
Gordon Rd. *Nels* —7A **4**
Gordonstoun Pl. *B'brn* —2F **19**
Gordon St. *Bacup* —1H **31**
Gordon St. *Burn* —3A **10**
Gordon St. *Chu* —3K **21**
Gordon St. *Clay M* —5B **16**
Gordon St. *Col* —3H **5**
Gordon St. *Dar* —2E **26**
Gordon St. *Ross* —3F **29**
Gordon St. *Wors* —4J **11**
Gorple Grn. *Wors* —5J **11**
Gorple Rd. *Wors* —5J **11**
Gorple St. *Burn* —6F **7**
Gorse Gro. *Helm* —5A **28**
Gorse Rd. *B'brn* —7E **12**
Gorse St. *B'brn* —2A **20**
Grafton Av. *Acc* —6F **23**
Grafton Av. *Burn* —4C **6**
Grafton Ct. *Dar* —3D **26**
Grafton St. Bacup —4J **31**
(off Rockcliffe La.)
Grafton Vs. *Bacup* —4H **31**
Graham St. *Hodd* —4K **27**
Graham St. *Pad* —3C **8**
Granby St. *Burn* —4H **9**
Grane Pk. *Has* —3A **28**
Grane Rd. *Has* —3A **28**
Grane St. *Has* —2B **28**
Grange Av. *Barfd* —3C **4**
Grange Av. *Gt Har* —1H **15**
Grange Av. *Ross* —2H **29**
Grange Clo. *Gt Har* —1H **15**
Grange Clo. *Osw* —5B **22**
Grange Clo. *Raw* —3H **29**
Grange Cres. *Ross* —3G **29**
Grange La. *Acc* —3D **22**
Grange Rd. *B'brn* —3E **18**
Grange Rd. *Ross* —3G **29**
Grange St. *Acc* —3D **22**
Grange St. *Burn* —5K **9**
Grange St. *Clay M* —4K **15**
Grange St. *Ross* —2G **29**
Grange Ter. *Ross* —2G **29**
Grange, The. *Wilp* —3B **14**
Grantham St. *B'brn* —3E **18**
Grant Rd. *B'brn* —2E **18**
Grant St. *Acc* —2B **22**
Grant St. *Burn* —5K **9**
Granville Gdns. *Acc* —4E **22**
Granville Rd. *Acc* —5E **22**
(in two parts)
Granville Rd. *B'brn* —7E **12**
Granville Rd. *Brier* —3D **6**
Granville Rd. *Dar* —5D **26**
Granville Rd. *Gt Har* —1J **15**

Granville St. *Brclf* —6G **7**
Granville St. *Burn* —2B **10**
Granville St. *Col* —3H **5**
Granville St. *Ross* —6A **28**
Grasmere Av. *B'brn* —3F **13**
Grasmere Av. *Pad* —1B **8**
Grasmere Clo. *Acc* —7E **16**
Grasmere Clo. *Col* —3K **5**
Grasmere Clo. *Rish* —6F **15**
Grasmere Rd. *Has* —5C **28**
Grasmere St. *Burn* —7B **6**
Grassington Dri. *Burn* —6E **6**
Grassmere Ter. *Bacup* —1H **31**
Gt. Bolton St. *B'brn* —2H **19**
Great Harwood Golf Course.
—1A **16**
Greave Clo. *Bacup* —2K **31**
Greave Clo. *Ross* —1G **29**
Greave Clough Clo. *Bacup* —2J **31**
Greave Clough Dri. *Bacup* —2J **31**
Greave Cres. Bacup —2J **31**
(off Greave Clough Clo.)
Greave Rd. *Bacup* —2K **31**
Greaves St. *Gt Har* —3H **15**
Greaves St. *Has* —3A **28**
Greave Ter. *Bacup* —2K **31**
Greenacre. *Lwr D* —7J **19**
Greenacre St. *Clith* —6E **2**
Green Bank. *Bacup* —5F **31**
Grn. Bank Bus. Pk. *B'brn* —1A **20**
(in two parts)
Greenbank Pk. *Ross* —3H **29**
Greenbank Rd. *B'brn* —2A **20**
Greenbank St. *Ross* —3H **29**
Greenbank Ter. *Lwr D* —7J **19**
Grn. Bridge N. *Ross* —6A **30**
Grn. Bridge S. *Ross* —6A **30**
Greenbrook Clo. *Burn* —4E **8**
Greenbrook Rd. *Burn* —4E **8**
Greendale Av. *Ross* —4A **30**
Green Dri. *Clith* —3G **3**
Grn. End Clo. *Bacup* —2J **31**
Greenfield Av. *Clith* —5C **2**
Greenfield Gdns. *Has* —2B **28**
Greenfield Rd. *Burn* —6E **10**
Greenfield Rd. *Col* —4D **4**
(in three parts)
Greenfields. *B'brn* —6G **19**
Greenfield St. *Dar* —7G **27**
Greenfield St. *Has* —2B **28**
Greenfield St. *Raw* —2G **29**
Greenfield Ter. *Osw* —7F **21**
Greenfield Vw. *Lwr D* —6K **19**
Greenfold Dri. *Ross* —2G **25**
Greengate Clo. *Burn* —3J **9**
Green Gown. *B'brn* —4H **13**
Green Haworth Golf Course.
—7C **22**
Grn. Haworth Vw. *Osw* —6B **22**
Greenhead Av. *B'brn* —1A **20**
Greenhead La. *Fence & Burn* —5A **6**
Green Hill. *Bacup* —4J **31**
Greenhill. *Gt Har* —2G **15**
Grn. Hill Rd. *Bacup* —4J **31**
Greenhurst Clo. *B'brn* —1G **19**
Green La. *B'brn* —4C **18**
Green La. *Bacup* —6J **31**
Green Mdw. *Traw* —6J **5**
Greenock Clo. *Burn* —6J **9**
Greenock St. *Burn* —6J **9**
Green Pk. Clo. *B'brn* —3F **19**
Greenridge Clo. *Brier* —4E **6**
Green Rd. *Col* —4F **5**
Green Row. *Live* —7K **18**
Greenside Av. *B'brn* —5D **18**
Greens La. *Bacup* —6F **31**
(Cutler La.)
Greens La. *Bacup* —2J **31**
(Todmorden Old Rd.)
Greens La. *Ross* —6B **28**
Greensnook La. *Bacup* —2H **31**
Greensnook M. *Bacup* —2J **31**
Greensnook Ter. *Bacup* —2J **31**
Green St. *Burn* —1C **10**
Green St. *Dar* —4E **26**
Green St. *Gt Har* —2G **15**
Green St. *Osw* —6H **21**
Green St. *Pad* —3B **8**
Green St. *Ross* —2H **29**
Green St. E. *Dar* —4E **26**

Green Ter. Wors —5J **11**
(off Wallstreams La.)
Green, The. Col —2J **5**
Green, The. Dar —4E **26**
Green, The. Nels —6E **4**
Greenthorne Ter. Dar —5E **26**
(off Ashworth Ter.)
Greenthorne Ter. Dar —3C **26**
(off Avondale Rd.)
Greenway St. Dar —2D **26**
Gregory Fold. Ross —6A **28**
Gregson St. B'brn —7G **13**
Gregson St. Dar —5E **26**
Grenada Clo. Lwr D —7J **19**
Gresham St. Ross —3E **8**
Gretna Rd. B'brn —3J **13**
Gretna Wlk. B'brn —3J **13**
Greystoke Av. B'brn —5B **18**
Grey St. Barfd —5A **4**
Grey St. Burn —1B **10**
Griffin Clo. Acc —6G **17**
Griffin Clo. Burn —6G **9**
Griffin Ct. B'brn —3F **19**
Griffin St. B'brn —2E **18**
Grime St. Dar —3D **26**
Grimshaw Pk. B'brn —2J **19**
Grimshaw Retail Pk. B'brn —2H **19**
Grimshaw St. Acc —2B **22**
Grimshaw St. Barfd —4A **4**
Grimshaw St. Burn —5B **10**
Grimshaw St. Chu —2K **21**
Grimshaw St. Clay M —5A **16**
Grimshaw St. Dar —6F **27**
Grimshaw St. Gt Har —2H **15**
Grindlestone Hurst. Col —5F **5**
Grindleton Gro. Burn —6E **10**
Grindleton Rd. B'brn —1F **19**
Grisedale Av. B'brn —6B **20**
Grisedale Dri. Burn —6A **10**
Grizedale Clo. Clay M —5K **15**
Grosvenor St. Burn —3A **10**
Grosvenor St. Col —3J **5**
Grosvenor Way. B'brn —7H **13**
Groundwork Countryside Cen.
—4E **28**
Grove Ct. Osw —5H **21**
Grove La. Pad —1C **8**
Grove St. Acc —2B **22**
Grove St. Bacup —2J **31**
Grove St. Barfd —5A **4**
Grove St. B'brn —3H **19**
Grove St. Nels —1F **3**
Grove St. Osw —5H **21**
Grove, The. Burn —4G **9**
Grove, The. Clith —4F **3**
Guernsey Av. B'brn —4J **19**
Guilford St. Brier —4C **6**
Gunsmith Pl. Burn —4B **10**
Gurney St. B'brn —2E **18**
Guy St. Pad —1B **8**
Guysyke. Col —4F **5**

Habergham Dri. Burn —2E **8**
Habergham St. Pad —1B **8**
Hacking St. Dar —4E **26**
Hacking St. Nels —6C **4**
Hagg St. Col —4F **5**
Haldane Rd. Dar —1C **26**
Haldane St. Burn —7C **6**
Hale St. Burn —6B **10**
Halifax Rd. Brclf —6H **7**
Halifax Rd. Burn —4C **6**
Halifax Rd. Nels —3E **6**
Hallam Cres. Nels —1H **7**
Hallam Rd. Nels —7C **4**
Hallam St. Acc —6B **16**
Hall Carr Rd. Ross —4G **29**
Halley Rd. Dar —2C **26**
Hallfield Rd. Gt Har —1J **15**
Hall Hill St. Pad —1B **8**
(off St Giles St.)
Halliwell St. Acc —6E **22**
Hall Meadows. Traw —5J **5**
Hallows St. Burn —7B **6**
Hall Pk. Av. Burn —6G **11**
Hall Rd. Traw —5J **5**
Hall St. Bacup —2H **31**

Hall St. B'brn —3H **19**
Hall St. Burn —4B **10**
Hall St. Clith —6E **2**
Hall St. Col —4G **5**
Hall St. Has —4B **28**
Hall St. Raw —2G **29**
Hall St. Wors —5H **11**
Hallwell St. Burn —2B **10**
Hallwood Clo. Burn —5C **6**
Halstead Clo. Barfd —4A **4**
Halstead La. Barfd —4A **4**
Halstead St. Burn —5A **10**
Halstead St. Wors —4H **11**
Hambledon St. Pad —2C **8**
Hambledon St. Burn —3E **8**
Hambledon Vw. Burn —3E **8**
Hameldon App. Burn —5J **9**
Hameldon Av. Acc —6F **23**
Hameldon Clo. Hap —7B **8**
Hameldon Rd. Hap —5K **17**
Hameldon Rd. Ross —2G **25**
Hameldon Vw. Gt Har —2J **15**
Hamer Av. B'brn —3C **20**
Hamer Av. Ross —3G **25**
Hamer St. Ross —3G **29**
Hamilton Rd. Barfd —1D **6**
Hamilton Rd. Col —6D **4**
Hamilton St. B'brn —3G **19**
Hamlet Clo. B'brn —2F **19**
Hammerton Grn. Bacup —2H **31**
Hammerton St. Bacup —1H **31**
Hammerton St. Burn —5A **10**
Hammond Av. Bacup —5F **31**
Hammond St. Nels —2G **7**
Hampden Av. Dar —6F **27**
Hampden St. Burn —6C **10**
Hampden St. Hap —6B **8**
Hampshire Clo. Wilp —1C **14**
Hampshire Rd. Rish —6F **15**
Hancock St. B'brn —2F **19**
(in two parts)
Hannah St. Acc —3C **22**
Hannah St. Bacup —2J **31**
Hannah St. Dar —4F **27**
Hanover Ct. Burn —7J **9**
Hanover St. Col —2G **5**
Hanson St. Gt Har —3H **15**
Hanson St. Rish —6H **15**
Hapton Rd. Pad —3B **8**
Hapton St. Pad —2C **8**
Hapton Way. Ross —2G **25**
Harcourt Rd. Acc —5E **22**
Harcourt Rd. B'brn —6F **13**
Harcourt St. Bacup —2H **31**
Harcourt St. Burn —5J **9**
Hardacre. Nels —2F **7**
Hardman Av. Ross —4G **29**
Hardman Clo. B'brn —4E **20**
Hardman Clo. Ross —6B **30**
Hardman Dri. Ross —6B **30**
Hardman St. B'brn —2F **19**
Hardman Ter. Bacup —5F **31**
Hardman Way. Dar —4E **26**
Hardy Av. Brier —3C **6**
Hardy Ct. Nels —1F **7**
Hardy St. B'brn —3J **13**
Hardy St. Brier —4C **6**
Harebell Clo. B'brn —5A **18**
Hare Clough Clo. B'brn —2J **19**
Hareden Brook Clo. B'brn —2J **19**
Harefield Ri. Burn —2J **9**
(in two parts)
Hareholme La. Ross —4K **29**
Hargher St. Burn —5J **9**
Hargreaves Dri. Ross —3F **29**
Hargreaves La. B'brn —2H **19**
Hargreaves Rd. Osw —4G **21**
Hargreaves St. Acc —3D **22**
Hargreaves St. Brclf —6G **7**
Hargreaves St. Burn —4A **10**
Hargreaves St. Col —4E **4**
Hargreaves St. Has —2B **28**
Hargreaves St. Hodd —4K **27**
Hargreaves St. Nels —1D **6**
Hargreaves St. Ross —1A **30**
Hargrove Av. Burn —1B **8**
Hargrove Av. Pad —3J **9**
Harlech Clo. Has —4B **28**
Harlech Dri. Osw —4H **21**

Harley St. Burn —4H **9**
Harling St. Burn —4G **9**
Harold Av. Burn —6H **9**
Harold St. Burn —6J **9**
Harold St. Col —7E **4**
Harrier Dri. B'brn —4G **13**
Harriet St. Burn —6K **9**
Harrington St. Clay M —6B **16**
Harris Ct. Clith —5E **2**
Harrison Dri. Col —2F **5**
Harrison St. Bacup —5K **31**
Harrison St. B'brn —1G **19**
Harrison St. Brclf —7G **7**
Harrogate Cres. Burn —7D **6**
Harrow Av. Acc —1D **22**
Harrow Clo. Pad —4D **8**
Harrow Dri. B'brn —5A **20**
Harrow St. Osw —4K **21**
Harry St. Barfd —5A **4**
Hartington Rd. Dar —1C **26**
Hartington St. Brier —4C **6**
Hartington St. Rish —6F **15**
Hartlands Clo. Burn —6E **6**
Hartley Av. Acc —5B **22**
Hartley St. B'brn —6H **13**
Hartley St. Burn —5H **9**
Hartley St. Col —3G **5**
Hartley St. Gt Har —1J **15**
Hartley St. Has —2B **28**
Hartley St. Nels —2F **7**
Hartley St. Osw —4K **21**
Hartmann St. Acc —2B **22**
Hart St. B'brn —1J **19**
Hart St. Burn —4B **10**
Harvey Longworth Ct. Ross —3G **25**
Harvey St. Nels —7B **4**
Harvey St. Osw —4H **21**
Harwood Ga. B'brn —6K **13**
Harwood La. Gt Har —1J **15**
Harwood New Rd. Gt Har —1K **15**
Harwood Rd. Rish —5F **15**
Harwood's La. Hodd —4K **27**
Harwood St. B'brn —5K **13**
(in two parts)
Harwood St. Dar —3C **26**
Haslingden Old Rd. Ross —3D **28**
Haslingden Rd. B'brn & Acc —4C **20**
Haslingden Rd. B'brn & Guide
—2J **19**
(in two parts)
Haslingden Rd. Ross —4C **28**
Hastings Clo. B'brn —4B **20**
Haston Lee Av. B'brn —1J **13**
Hatfield Rd. Acc —7E **16**
Hathaway Fold. Pad —3C **8**
Hattersley St. Burn —4K **9**
Haugh St. Burn —7C **6**
Havelock Clo. B'brn —2G **19**
Havelock St. B'brn —3H **19**
Havelock St. Burn —4G **9**
Havelock St. Osw —5J **21**
Havelock St. Pad —5B **8**
Haven St. Burn —5D **10**
Haverholt Clo. Col —3F **5**
Haverholt Rd. Col —3F **5**
Hawarden St. Nels —2F **7**
Hawer St. Dar —5F **27**
Hawes Dri. Col —2J **5**
Hawes Ter. Burn —7D **6**
Haweswater Rd. Acc —6E **16**
Hawkins St. B'brn —3E **18**
Hawks Gro. Ross —4G **29**
Hawkshaw Av. Dar —2C **26**
Hawkshaw Bank Rd. B'brn —4G **13**
Hawkshead Clo. B'brn —1E **18**
Hawkshead St. B'brn —1H **18**
Hawkstone Clo. Acc —6G **17**
Hawk St. Burn —4B **10**
Hawkswood Gdns. Brier —5B **6**
Hawksworth Rd. Acc —7C **16**
Hawley St. Dar —4F **5**
Haworth Art Gallery. —5E **22**
(Tiffany Glass)
Haworth Av. Acc —5E **22**
Haworth Av. Ross —3F **29**
Haworth Dri. Bacup —4E **30**
Haworth St. Acc —6C **16**
Haworth St. Osw —4K **21**
Haworth St. Rish —6G **15**

Hawthorn Av. Dar —3G **27**
Hawthorn Av. Osw —4K **21**
Hawthorn Bank. Alt —5B **16**
Hawthorn Dri. Rish —7G **15**
Hawthorn Av. Burn —4C **6**
Hawthorne Gro. Barfd —5A **4**
Hawthorne Ind. Est. Clith —4G **3**
Hawthorne Meadows. Craw —4G **25**
Hawthorne Pl. Clith —4E **2**
Hawthorne Rd. Burn —6K **9**
Hawthorne St. B'brn —4J **13**
Hawthorn Gdns. Clay M —4B **16**
Hawthorn Rd. Bacup —3J **31**
Hawthorns, The. B'brn —2B **14**
Hawthorns, The. Ross —4B **30**
(off Booth Rd.)
Haydock Sq. Gt Har —2H **15**
Haydock St. B'brn —3H **13**
Haydock St. Burn —1D **10**
Hayfield. B'brn —5D **12**
Hayhurst Farm Ter. Clith —6F **3**
Hayhurst St. Clith —6F **3**
Haywood Clo. Acc —7C **16**
Haywood Rd. Acc —7C **16**
Hazel Av. Clay M —5A **16**
Hazel Av. Dar —2F **27**
Hazel Bank. B'brn —6F **13**
Hazel Clo. B'brn —1F **19**
Hazeldene Av. Has —3B **28**
Hazel Gro. Bacup —2K **31**
Heaton St. B'brn —3D **20**
Hazel Gro. Burn —7E **6**
Hazel Gro. Clay M —5A **16**
Hazel Gro. Clith —6C **2**
Hazel Gro. Ross —1F **29**
Hazels, The. B'brn —2A **14**
Hazel St. Acc —4A **24**
Hazelwood Clo. B'brn —3K **13**
Hazelwood Rd. Nels —1H **7**
Headingley Clo. Acc —6G **17**
Heald Rd. Burn —7B **6**
Healdwood Clo. Burn —6A **6**
Healdwood Dri. Burn —6A **6**
Healey Ct. Burn —5A **10**
Healey Mt. Burn —5A **10**
Healey Row. Burn —6A **10**
Healey Wood Rd. Burn —5A **10**
(in two parts)
Healey Wood Rd. Ind. Est. Burn
—6A **10**
Heaning Av. Acc —7E **16**
Heaning Av. B'brn —4C **20**
Heap St. Brier —4B **6**
Heap St. Burn —1C **10**
Heap St. Ross —4G **25**
Heap St. Wors —4J **11**
Heartwood Clo. B'brn —4D **12**
Heasandford Ind. Est. Burn —2E **10**
(Bancroft Rd.)
Heasandford Ind. Est. Burn —1E **10**
(Widow Hill Rd., in two parts)
Heathbourne Rd. Bacup —5D **30**
Heather Bank. Burn —6H **9**
Heather Bank. Ross —4F **29**
Heather Clo. Brier —5E **6**
Heather Clo. Has —5A **28**
Heatherleigh Gdns. B'brn —7G **13**
Heathfield Av. Bacup —5E **30**
Heathfield Pk. B'brn —6C **12**
Heathfield Rd. Bacup —5E **30**
Heath Hill Dri. Bacup —5E **30**
Heath St. Burn —2C **10**
Heatley Clo. B'brn —2G **19**
Heaton St. B'brn —1H **19**
Heber St. Dunn —1H **25**
Hebrew Rd. Burn —2B **10**
(in two parts)
Hebrew Sq. Burn —2B **10**
Heckenhurst Av. Burn —4G **11**
Hector Rd. Dar —1C **26**
Hedgerow, The. B'brn —4D **12**
Height Barn La. Bacup —5H **31**
Height Cft. Brier —4F **7**
Heights Cotts. Acc —4G **23**
Heightside Av. Ross —3A **30**
Height Side La. Ross —3A **30**
Heightside M. Ross —3A **30**
Heights Rd. Nels —3E **6**
Heirshouse La. Col —2E **4**

Helena St. *Burn* —5C **10**
Helm Clo. *Burn* —7J **9**
Helmcroft. *Has* —4A **28**
Helmcroft Ct. *Has* —4B **28**
Helmn Way. *Nels* —6C **4**
Helmsdale Rd. *Nels* —7D **4**
Helmshore Rd. *Holc & Helm*
—7A **28**
Helmshore Textile Mus. —5A **28**
Helston Clo. *Burn* —6G **9**
Helton Clo. *Barfd* —4A **4**
Helvellyn Dri. *Burn* —2G **9**
Hemingway Pl. *Nels* —1G **7**
Hempshaw Av. *Ross* —2G **25**
Hemp St. *Bacup* —4H **31**
Hendon Rd. *Nels* —1G **7**
Henfield Clo. *Clay M* —4B **16**
Henrietta St. *Bacup* —3H **31**
Henrietta St. *B'brn* —7F **13**
(off Johnston St.)
Henrietta St. Ind. Est. Bacup
(off Henrietta St.) —3H **31**
Henry Gdns. *Brier* —4C **6**
Henry St. *Acc* —4E **22**
Henry St. *Chu* —2K **21**
Henry St. *Clay M* —5B **16**
Henry St. *Col* —4F **5**
Henry St. *Nels* —7A **4**
Henry St. *Rish* —6G **15**
Henry St. *Ross* —3F **29**
Henry Whalley St. *B'brn* —3D **18**
Henthorn Clo. *Clith* —6D **2**
Henthorn Rd. *Clith* —7B **2**
Herbert St. *Bacup* —5F **31**
Herbert St. *B'brn* —3G **19**
Herbert St. *Burn* —5K **9**
Herbert St. *Pad* —3C **8**
Hereford Av. *Burn* —3G **9**
Hereford Clo. *Acc* —1C **22**
Hereford Dri. *Clith* —6F **3**
Hereford Rd. *B'brn* —3B **20**
Hereford Rd. *Col* —6D **4**
Hereford St. *Nels* —1D **6**
Herkomer Av. *Burn* —7K **9**
Hermitage St. *Rish* —6H **15**
Heron Clo. *B'brn* —4G **13**
Heron Ct. *Burn* —5H **9**
Heron Way. *Osw* —5K **21**
Herschel Av. *Burn* —2H **9**
Herschell St. *B'brn* —3F **19**
Hertford St. *B'brn* —3F **19**
Hesketh Clo. *Dar* —7G **27**
Hesketh St. *Gt Har* —2H **15**
Hesse St. *Dar* —5E **26**
Hetton Lea. *Barfd* —5A **4**
Hexham Clo. *Acc* —5F **23**
Heyfold Gdns. *Dar* —2D **26**
Hey Head Av. *Ross* —5C **30**
Heyhead St. *Brier* —4D **6**
Heyhurst Rd. *B'brn* —7G **13**
Heymoor Av. *Gt Har* —1J **15**
Heys Av. *Has* —2A **28**
Heys Clo. *B'brn* —6F **19**
Heys Clo. *Ross* —3J **29**
Heys Ct. *B'brn* —5F **19**
Heys Ct. *Osw* —5K **21**
Heysham Cres. *B'brn* —4J **19**
Heys La. *Dar* —3D **26**
(in two parts)
Heys La. *Hodd* —5J **27**
Heys La. *Live & B'brn* —7E **18**
Heys La. *Osw* —5K **21**
Heys St. *Bacup* —3H **31**
Heys St. *Has* —2A **28**
Heys St. *Raw* —4J **29**
Hey St. *Nels* —7B **4**
Heywood St. *Gt Har* —3H **15**
Heyworth Av. *B'brn* —6F **19**
Hibson Rd. *Nels* —3E **6**
(in two parts)
Hick's Ter. *Rish* —6G **15**
Higgin St. *Burn* —5C **10**
Higgin St. *Col* —3G **5**
Higgin St. *Wors* —5J **11**
Higham St. *Pad* —1C **8**
Highbank. *B'brn* —3J **13**
Highbrake Ter. *Acc* —5F **17**
Highbury Pl. *B'brn* —6G **13**
High Clo. *Burn* —4D **8**

Higher Antley St. *Acc* —3B **22**
Higher Audley St. *B'brn* —1J **19**
Higher Avondale Rd. *Dar* —3C **26**
Higher Bank St. *B'brn* —6E **12**
Higher Barn St. *B'brn* —7K **13**
Higher Blackthorn. *Bacup* —1H **31**
Higher Booths La. *Craw* —3G **25**
Higher Causeway. *Barfd* —5A **4**
Higher Change Vs. *Bacup* —1K **31**
Higher Chu. Chu. *Dar* —4F **27**
Higher Cockcroft. *B'brn* —7H **13**
Higher Cft. Rd. *Lwr D* —5J **19**
Higher Cross Row. *Bacup* —2H **31**
Higher Dri. *Clay M* —4B **16**
Higher Eanam. *B'brn* —7K **13**
Higher Ga. *Acc* —6G **17**
Highergate Clo. *Hun* —5G **17**
Higher Ga. Rd. *Acc* —6G **17**
Higher Heys. *Osw* —5K **21**
Higherhouse Clo. *B'brn* —6D **18**
Higher La. *Has* —1B **28**
Higher Lawrence St. *Dar* —3D **26**
Higher London Ter. *Dar* —3F **27**
Higher Mill St. *Ross* —2G **29**
Higher Peel St. *Osw* —5J **21**
Higher Perry St. *Dar* —3F **27**
Higher Ramsgreave Rd. *Rams*
—1E **12**
Higher Reedley Rd. *Brier* —5D **6**
Higher Saxifield. *Burn* —6F **7**
Higher S. St. *Dar* —4F **27**
Higher Tentre. *Burn* —5C **10**
Higher Watermill. —5A **28**
Higher Witton Rd. *B'brn* —1E **18**
Highfield. *Bacup* —3H **31**
Highfield. *Gt Har* —2G **15**
Highfield. *Ross* —5G **25**
Highfield Av. *Burn* —6C **6**
Highfield Clo. *Osw* —5A **22**
Highfield Cres. *Barfd* —5A **4**
Highfield Cres. *Nels* —5B **4**
Highfield Gdns. *B'brn* —3H **19**
Highfield M. *Dar* —2F **27**
Highfield Pk. *Has* —3A **28**
Highfield Rd. *B'brn* —2H **19**
Highfield Rd. *Clith* —6E **2**
Highfield Rd. *Dar* —4F **27**
Highfield Rd. *Rish* —6F **15**
Highfield Rd. *Ross* —4K **29**
Highfield St. *Dar* —5F **27**
Highfield St. *Has* —3A **28**
Highgate. *Nels* —3E **6**
Highmoor. *Nels* —3G **7**
Highmoor Pk. *Clith* —5F **3**
High St. *Acc* —5A **22**
High St. *B'brn* —7H **13**
High St. *Brier* —4C **6**
High St. *Clith* —5B **2**
High St. *Col* —3H **5**
High St. *Dar* —4E **26**
High St. *Has* —1B **28**
High St. *Nels* —2E **6**
High St. *Osw* —4C **22**
High St. *Pad* —1C **8**
High St. *Rish* —6G **15**
Hightown. *Ross* —1A **30**
Hightown Rd. *Ross* —1A **30**
Higson St. *B'brn* —7G **13**
Hilary St. *Burn* —1B **10**
Hill Crest. *Bacup* —4F **31**
Hill Crest Av. *Burn* —6G **11**
Hillcrest Rd. *Dar* —3C **18**
Hill End. *Traw* —6K **5**
Hill End La. *Ross* —4J **29**
Hillhouses. *Dar* —6E **26**
Hillingdon Rd. *Burn* —6E **6**
Hillingdon Rd. N. *Burn* —5D **6**
Hill Pl. *Nels* —3E **6**
Hill Ri. *Has* —4C **28**
Hillsborough Av. *Brier* —4E **6**
Hillside. *Burn* —7J **9**
Hillside Av. *B'brn* —4B **20**
Hillside Av. *Burn* —5D **6**
Hillside Av. *Dar* —5E **26**
Hillside Clo. *B'brn* —4B **20**
Hillside Clo. *Brier* —4D **6**
Hillside Clo. *Burn* —7J **9**
Hillside Clo. *Clith* —7E **2**
Hillside Clo. *Gt Har* —1H **15**
Hillside Dri. *Ross* —3A **30**

Hillside Gdns. *Dar* —6E **26**
Hillside Rd. *Has* —3B **28**
Hillside Vw. *Burn* —4D **6**
Hillside Wlk. *B'brn* —4B **20**
Hill St. *Acc* —3D **22**
(Hollins La.)
Hill St. *Acc* —6E **22**
(Wellington St.)
Hill St. *B'brn* —2A **20**
Hill St. *Brier* —3A **6**
(Burnley Rd.)
Hill St. *Brier* —3A **6**
(Montford Rd.)
Hill St. *Clay M* —6B **16**
Hill St. *Col* —4G **5**
Hill St. *Osw* —3J **21**
Hill St. *Pad* —2B **8**
Hill St. *Ross* —5G **25**
Hill Top. *Barfd* —5A **4**
Hilltop Dri. *Has* —6C **28**
Hilltop Rd. *Nels* —7C **4**
Hill Vw. *B'brn* —3H **13**
Hill Vw. *Ross* —4F **29**
Hilton Rd. *Dar* —5F **27**
Hilton St. *Dar* —5E **26**
Hindle Ct. *Dar* —3E **26**
Hindle Fold La. *Gt Har* —1H **15**
Hindle St. *Acc* —2C **22**
Hindle St. *Bacup* —5F **31**
Hindle St. *Dar* —3C **26**
Hindle St. *Has* —2B **28**
Hind St. *Burn* —7C **6**
Hinton St. *Burn* —5C **10**
Hippings La. *Ross* —4B **30**
Hippings Va. *Osw* —4J **21**
(off Holly St.)
Hippings Way. *Clith* —3E **2**
Hirst St. *Burn* —6C **10**
(in two parts)
Hirst St. *Pad* —1B **8**
Hobart St. *Burn* —4C **10**
Hob Grn. *Mel* —2C **12**
Hobson St. *Ross* —2F **29**
Hodder Gro. *Clith* —6C **2**
Hodder Gro. *Dar* —1C **26**
Hodder Pl. *B'brn* —6J **13**
(in two parts)
Hodder St. *Acc* —2E **22**
Hodder St. *B'brn* —6J **13**
Hodder St. *Burn* —6C **6**
Hoddlesden Fold. *Hodd* —4K **27**
Hoddlesden Rd. *Hodd* —4J **27**
Hodge Bank Pk. *Nels* —6A **4**
Hodgson St. *Dar* —4F **27**
Hodgson St. *Osw* —4K **21**
Hogarth Av. *Burn* —7K **9**
Hoghton Av. *Bacup* —4J **31**
Holbeck St. *Burn* —1B **10**
Holcombe Dri. *Burn* —4C **10**
Holcombe Rd. *Ross* —6A **28**
Holden Fold. *Dar* —2F **27**
Holden Rd. *Brier* —4B **6**
Holden Rd. *Burn* —6C **6**
Holden St. *Acc* —3C **22**
Holden St. *B'brn* —1F **19**
Holden St. *Burn* —4A **10**
Holden St. *Clith* —5F **3**
Holden Wood Dri. *Has* —4A **28**
Hole Ho. St. *B'brn* —3C **6**
Holgate St. *Brclf* —6G **7**
Holgate St. *Gt Har* —2H **15**
Holker Bus. Cen. *Col* —4E **4**
Holker St. *Col* —4E **4**
Holker St. *Dar* —5F **27**
Holland Av. *Ross* —1F **29**
Holland St. *Acc* —3A **22**
Holland St. *B'brn* —6G **13**
Holland St. *Pad* —2A **8**
Hollies Clo. *B'brn* —5C **18**
Hollies Rd. *Wilp* —1C **14**
Hollin Bank St. *Brier* —3C **6**
Hollin Bri. St. *B'brn* —3F **19**
(in two parts)
Hollin Clo. *Ross* —1B **30**
(off Foxhill Dri.)
Hollingreave Rd. *Burn* —6B **10**
Hollin Gro. *Ross* —1G **29**
(off Hollin La.)
Hollington St. *Col* —3K **5**
Hollin Hill. *Burn* —7C **10**

Hollin La. *Ross* —1G **29**
Hollin Mill St. *Brier* —3C **6**
Hollins Av. *Burn* —6G **11**
Hollins Clo. *Acc* —4D **22**
Hollins Gro. St. *Dar* —2D **26**
Hollins La. *Acc* —4D **22**
Hollins Rd. *Dar* —1C **26**
Hollins Rd. *Nels* —6D **4**
Hollin St. *B'brn* —3F **19**
Hollin Way. *Raw* —1G **29**
Hollin Way. *Ross* —6G **25**
Hollinwood Dri. *Raw* —7G **25**
Hollowhead Av. *Wilp* —3B **14**
Hollowhead Clo. *Wilp* —3C **14**
Hollowhead La. *B'brn & Wilp*
—3B **14**
Holly Av. *Has* —4C **28**
Holly Bank. *Acc* —4D **22**
Holly Mt. *Ross* —5A **28**
Holly St. *B'brn* —5J **13**
Holly St. *Burn* —5C **10**
Holly St. *Nels* —1G **7**
Holly St. *Osw* —4J **21**
Holly Ter. *B'brn* —4J **13**
Holly Tree Clo. *Dar* —7E **26**
Holly Tree Clo. *Ross* —7F **25**
Holly Tree Way. *B'brn* —5C **18**
Holmbrook Clo. *B'brn* —5J **19**
Holmby St. *Burn* —7C **6**
Holme Bank. *Ross* —4F **29**
Holme Cres. *Traw* —5J **5**
Holme End. *Burn* —5A **6**
Holmefield Ct. *Barfd* —5A **4**
Holme Hill. *Clith* —3E **2**
Holme La. *Has & Ross* —5D **28**
(in two parts)
Holme Lea. *Clay M* —3A **16**
Holme Rd. *Burn* —3K **9**
Holme Rd. *Clay M* —3K **15**
Holmes Dri. *Bacup* —1H **31**
Holmes La. *Bacup* —2H **31**
Holmes Sq. *Burn* —5C **10**
Holmes St. *Burn* —5C **10**
Holmes St. *Pad* —2C **8**
Holmes St. *Ross* —3A **29**
Holmes Ter. *Reed* —7F **25**
Holmes, The. *Reed* —7F **25**
Holmestrand Av. *Burn* —6F **9**
Holme St. *Acc* —2C **22**
Holme St. *Bacup* —5F **31**
Holme St. *Barfd* —6A **4**
Holme St. *Dar* —5E **26**
Holme St. *Nels* —1F **7**
Holmeswood Pk. *Ross* —5E **28**
Holme Ter. *Nels* —1D **6**
Holme Ter. *Tow F* —5C **28**
Holmsley St. *Burn* —5C **10**
Holt Mill Rd. *Ross* —5K **29**
Holt Sq. *Barfd* —3B **4**
Holt St. *Rish* —5H **15**
Holt St. *Ross* —5A **30**
Holyoake St. *Burn* —4E **8**
Homer St. *Burn* —5H **9**
Honey Hole. *B'brn* —3H **19**
Honister Rd. *Burn* —6C **6**
Honiton Av. *B'brn* —5F **19**
Hood Ho. St. *Burn* —6K **9**
Hood St. *Acc* —1D **22**
Hope St. *Acc* —3C **22**
Hope St. *Bacup* —1H **31**
Hope St. *B'brn* —7G **13**
Hope St. *Brier* —4C **6**
Hope St. *Dar* —4D **26**
Hope St. *Gt Har* —3H **15**
Hope St. *Has* —3B **28**
Hope St. *Nels* —2E **6**
Hope St. *Pad* —2C **8**
Hope St. *Raw & Ross* —4J **29**
Hope St. *Wors* —4J **11**
Hope Ter. *B'brn* —6F **13**
Hopkinson St. *Traw* —5J **5**
Hopkinson Ter. *Traw* —5J **5**
(off Skipton Rd.)
Hopwood St. *Acc* —4C **22**
Hopwood St. *B'brn* —2H **19**
Hopwood St. *Burn* —4K **9**
Horace St. *Burn* —4J **9**
Horden Rake. *B'brn* —6A **18**
Horden Vw. *B'brn* —6A **18**
Hordley St. *Burn* —4F **9**

Horeb Clo. *Pad* —3C **8**
(off Victoria Rd.)
Hornby Ct. *B'brn* —1F **19**
(off Garden St.)
Hornby St. *Burn* —5B **10**
Hornby St. *Osw* —5K **21**
Horncliffe Clo. *Ross* —5E **28**
Horncliffe Heights. *Brier* —4F **7**
Horncliffe Vw. *Has* —5B **28**
Horne St. *Acc* —1D **22**
Horning Cres. *Burn* —7E **6**
Horsfall Clo. *Acc* —1C **22**
Horsfield Clo. *Col* —3J **5**
Horton Av. *Acc* —6C **6**
Howard Clo. *Acc* —3A **22**
Howard St. *Burn* —5J **9**
Howard St. *Nels* —1D **6**
Howard St. *Rish* —6F **15**
Howarth Av. *Chu* —1A **22**
Howe Cft. *Clith* —5F **3**
Howe Wlk. *Burn* —4B **10**
Howgill Clo. *Nels* —3G **7**
Howorth Clo. *Burn* —7B **10**
Howorth Rd. *Burn* —7B **10**
Howsin St. *Burn* —1B **10**
Hoyle St. *Acc* —4A **24**
Hoyle St. *Bacup* —5G **31**
Hozier St. *B'brn* —3B **20**
Hubie St. *Burn* —3A **10**
Hud Hey Ind. Est. *Ross* —6B **24**
Hud Hey Rd. *Has* —6A **24**
Hud Rake. *Has* —7B **24**
Hudson Clo. *Burn* —4F **13**
Hudson Pl. *B'brn* —4E **12**
Hudson St. *Acc* —4D **22**
Hudson St. *Brier* —4C **6**
Hudson St. *Burn* —5J **9**
Hufling Ct. *Burn* —6C **10**
(off Hufling La.)
Hufling La. *Burn* —7C **10**
Hugh Bus. Pk. *Ross* —5B **30**
Hughes St. *Burn* —5B **10**
Hugh Rake. *Ross* —6F **25**
Hull St. *Burn* —5C **10**
(in two parts)
Hulton Dri. *Nels* —3F **7**
Humber Sq. *Burn* —6D **6**
Humphrey St. *Brier* —3C **6**
Huncoat Ind. Est. *Acc* —6D **16**
Hunslet St. *Acc* —4C **10**
Hunslet St. *Nels* —2G **7**
Hunters Dri. *Burn* —2J **9**
Hunters Lodge. *B'brn* —4C **18**
Hunter St. *Brier* —5C **6**
Huntingdon Dri. *Dar* —6E **26**
Huntroyde Av. *Pad* —2A **8**
Huntroyde Clo. *Burn* —3J **9**
Hurst Cres. *Ross* —2H **29**
Hurst La. *Raw & Ross* —2G **29**
Hurst Wood Av. *B'brn* —4D **18**
Hurstwood Av. *Burn* —5E **10**
Hurstwood Enterprise Pk. *Has*
—3A **28**
Hurstwood Gdns. *Brier* —5E **6**
Hurstwood La. *Wors* —6J **11**
Hurtley St. *Burn* —5B **10**
Hutch Bank Rd. *Ross* —3A **28**
Hutchinson Ct. *Dar* —4D **26**
Hutchinson St. *B'brn* —2H **19**
Huttock End La. *Bacup* —5F **31**
Hutton Dri. *Burn* —3K **9**
Hutton St. *B'brn* —7K **13**
Hyacinth Clo. *Has* —5A **28**
Hygiene. *Clay M* —5K **15**
Hynd Brook Ho. *Acc* —3B **22**
(off Dale St.)
Hyndburn Bri. *Clay M* —2A **16**
Hyndburn Dri. *Dar* —1B **26**
Hyndburn Rd. *Acc & Chu* —1A **22**
Hyndburn Rd. *Gt Har* —4K **15**
Hyndburn St. *Acc* —2A **22**
Hyndburn Ter. *Clay M* —3K **15**
Hynings, The. *Gt Har* —1G **15**
Hythe Clo. *B'brn* —4B **20**

Icconhurst Clo. *Acc* —6F **23**
Ice St. *B'brn* —5H **13**
Idstone Clo. *B'brn* —5K **19**

Ightenhill Pk. La. *B'brn* —1G **9**
Ightenhill Pk. M. *Burn* —3H **9**
Ightenhill St. *Pad* —1B **8**
Ighten Rd. *Burn* —2H **9**
Imperial Gdns. *Nels* —1E **6**
(off Carr Rd.)
Inchfield. *Wors* —4J **11**
India St. *Acc* —2A **22**
India St. *Dar* —5F **27**
Industrial Cotts. *Ross* —5B **30**
(off Wood Lea Rd.)
Industrial Pl. *Bacup* —3H **31**
(off St James St.)
Industrial St. *Bacup* —3J **31**
Industry St. *Dar* —3E **26**
Infant St. *Acc* —2D **22**
Infirmary St. *B'brn* —3G **19**
Infirmary Rd. *B'brn* —3G **19**
Infirmary St. *B'brn* —3G **19**
Ingdene Clo. *Col* —4E **4**
Ingham St. *Barfd* —4A **4**
Ingham St. *Pad* —1C **8**
Ingleby Clo. *B'brn* —3C **20**
Inglehurst Rd. *Burn* —5G **9**
Ingle Nook. *Burn* —6G **11**
Ingleton Clo. *Acc* —3E **22**
Inkerman St. *Bacup* —3J **31**
Inkerman St. *B'brn* —6H **13**
Inkerman St. *Pad* —2B **8**
Inskip St. *Pad* —2B **8**
Institute St. *Pad* —2B **8**
Intake Cres. *Col* —2J **5**
Inverness Rd. *Dar* —5D **26**
Irene Pl. *B'brn* —7E **12**
Irene St. *Burn* —5D **10**
Iron St. *B'brn* —2G **19**
Irvine St. *Nels* —6C **4**
Irving Pl. *B'brn* —7E **12**
Irwell Ho. *Ross* —5A **30**
(off Cowpe Rd.)
Irwell St. *Bacup* —3H **31**
Irwell St. *Burn* —4F **9**
Irwell Ter. *Bacup* —2H **31**
Irwell Va. Rd. *Ross* —7C **28**
Isherwood St. *B'brn* —4G **19**
Isle of Man. *Rams* —4A **14**
Islington. *B'brn* —2H **19**
Islington Clo. *Burn* —6E **6**
Ivan St. *Burn* —7C **6**
Ivegate. *Col* —3G **5**
Ivinson Rd. *Dar* —2F **27**
Ivory St. *Burn* —4H **9**
Ivy Av. *Has* —2C **28**
Ivy Gro. *Ross* —2G **29**
Ivy St. *B'brn* —3G **19**
Ivy St. *Burn* —1C **10**
Ivy St. *Col* —6D **4**
Ivy St. *Ross* —5B **30**
Ivy Ter. *Dar* —7F **27**

Jacks Key Dri. *Dar* —7G **27**
Jackson St. *Burn* —2B **10**
Jackson St. *Chu* —3K **21**
Jackson St. *Clay M* —4A **16**
Jacob St. *Acc* —3D **22**
James Av. *Gt Har* —2G **15**
James St. *Acc* —5F **17**
James St. *Bacup* —6C **30**
James St. *Barfd* —4A **4**
James St. *B'brn* —7H **13**
James St. *Burn* —1B **10**
James St. *Clay M* —4A **16**
James St. Col —4H **5**
(off West St.)
James St. *Dar* —4D **26**
James St. *Gt Har* —2G **15**
James St. *Has* —3A **28**
James St. *Osw* —4J **21**
James St. *Rish* —6H **15**
James St. *Ross* —3G **29**
James St. W. *Dar* —4E **26**
Jannat Clo. *Acc* —3C **22**
Jasper St. *B'brn* —3J **13**
Jenny La. *Nels* —3E **6**
Jepson St. *Dar* —5E **26**
Jersey St. *B'brn* —4E **18**
Jessel St. *B'brn* —3E **18**
Jewel Holme. *Brier* —4B **6**
Jib Hill Cotts. *Burn* —6E **6**

Jobing St. *Col* —5E **4**
Jockey St. *Burn* —5H **9**
Joe Connolly Way. *Waterf* —5A **30**
Johnny Barn Clo. *Ross* —3K **29**
Johnny Barn Cotts. *Ross* —3K **29**
John o'Gaunt St. *Pad* —1B **8**
(off Guy St.)
Johnson New Rd. *Hodd* —3J **27**
Johnson Rd. *E'hill & Waters*
—1G **27**
Johnston Clo. *B'brn* —7F **13**
Johnston St. *B'brn* —7F **13**
John St. *Barfd* —4B **4**
John St. *Brier* —3C **6**
John St. *Chu* —1K **21**
John St. *Clay M* —4A **16**
John St. *Col* —4F **5**
John St. *Dar* —4D **26**
John St. *Has* —2B **28**
John St. *Osw* —5J **21**
John St. *Waterf* —4B **30**
John Wall Ct. *Clith* —5D **2**
(Bawdlands)
John Wall Ct. *Clith* —6E **2**
(Eshton Ter.)
Joiners All. *Gt Har* —2H **15**
Joiners Row. *B'brn* —2J **19**
Jonathan Clo. *Has* —5A **28**
Joseph St. *Barfd* —4A **4**
Joseph St. *Dar* —4F **27**
Jubilee Clo. *Has* —4A **28**
Jubilee Ct. *Has* —4A **28**
Jubilee M. *Has* —3A **28**
Jubilee Rd. *Chu* —1A **22**
Jubilee St. *Has* —3A **28**
Jubilee St. *B'brn* —1H **19**
Jubilee St. *Brclf* —6G **7**
Jubilee St. *Clay M* —6B **16**
Jubilee St. *Dar* —4E **26**
Jubilee St. *Osw* —4K **21**
Jubilee Tower. —5B **26**
Jude St. *Nels* —1E **6**
Judge Fields. *Col* —2G **5**
July St. *B'brn* —1K **19**
Junction St. *Brier* —3C **6**
Junction St. *Burn* —3J **9**
(in two parts)
Junction St. *Col* —5C **4**
Junction St. *Dar* —6F **27**
June St. *B'brn* —1K **19**
Juniper Ct. *Hun* —7F **17**
Juniper St. *B'brn* —5K **13**
Juno St. *Nels* —6C **4**

Kay Fold Lodge. *B'brn* —2G **13**
Kay Gdns. *Burn* —5C **10**
Kay St. *B'brn* —2H **19**
Kay St. *Brier* —4C **6**
Kay St. *Clith* —6D **2**
Kay St. *Dar* —4F **27**
Kay St. *Osw* —5J **21**
Kay St. *Pad* —1C **8**
Kay St. *Ross* —3G **29**
Keats Clo. *Acc* —6F **23**
Keats Clo. *Col* —2G **5**
Keats Fold. *Burn* —3D **8**
Keele Wlk. *B'brn* —1J **19**
Keighley Av. *Col* —2G **5**
Keighley Rd. *Col* —3H **5**
Keighley Rd. *Traw* —6K **5**
Keirby Wlk. *Burn* —4B **10**
Keith St. *Burn* —4H **9**
Kelbrook Dri. *Burn* —7K **9**
Kelsall Av. *B'brn* —7A **14**
Kelswick Dri. *Nels* —3F **7**
Kelvin St. *Dar* —4D **26**
Kemp Ct. *B'brn* —1J **13**
Kemple Vw. *Clith* —7C **2**
Kempton Ri. *B'brn* —2J **19**
Kendal Av. *Barfd* —4A **4**
Kendal St. *B'brn* —6H **13**
Kendal St. *Clith* —4F **3**
Kendal St. *Nels* —7A **4**
Kenilworth Clo. *Pad* —2C **8**
Kenilworth Dri. *Clith* —7C **2**
Kensington Pl. *Burn* —6J **9**
Kensington St. *Nels* —2D **6**
Kent Clo. *Barfd* —4A **4**
Kent Dri. *B'brn* —4D **20**

Kentmere Clo. *Burn* —2G **9**
Kentmere Dri. *B'brn* —5B **18**
Kent St. *B'brn* —1J **19**
Kent St. *Burn* —3A **10**
Kent Wlk. *Has* —5A **28**
Kenworthy St. *B'brn* —6J **13**
Kenyon Rd. *Brier* —2B **6**
Kenyon St. *Acc* —2D **22**
Kenyon St. *Bacup* —5K **31**
Kenyon St. *B'brn* —3B **20**
Kenyon St. *Ross* —2G **29**
Keppel Pl. *Burn* —5K **9**
Kershaw Clo. *Ross* —5G **25**
(off Burnley Rd.)
Kershaw St. *Bacup* —3H **31**
(off Union St.)
Kershaw St. *Chu* —1K **21**
Kestrel Clo. *B'brn* —4G **13**
Kestrel Dri. *Dar* —2E **26**
Keswick Clo. *Acc* —6E **16**
Keswick Dri. *B'brn* —5B **18**
Keswick Rd. *Burn* —7B **6**
Kew Rd. *Nels* —6C **4**
Keynsham Gro. *Burn* —3J **9**
Key Vw. *Dar* —7G **27**
Khyber St. *Col* —4F **5**
Kibble Cres. *Burn* —6D **6**
Kibble Gro. *Brier* —5E **6**
Kidder St. *B'brn* —5G **19**
Kiddrow La. *Burn* —3E **8**
Kielder Dri. *Burn* —3K **9**
Killiard La. *B'brn* —7B **12**
Killington St. *Burn* —7D **6**
Kiln Clo. *Clith* —3G **3**
Kiln Ho. Way. *Osw* —5B **22**
Kilns, The. *Burn* —7C **10**
Kiln St. *Nels* —1E **6**
Kiln Ter. *Bacup* —5F **31**
(off Holme St.)
Kimberley Clo. *Brclf* —6G **7**
Kimberley St. *Bacup* —6C **30**
Kimberley St. *Brclf* —6G **7**
Kimble Bank. *Brier* —5E **6**
Kimble Gro. *Brier* —5E **6**
Kime St. *Burn* —4H **9**
King Edward St. *Osw* —5H **21**
King Edward Ter. *Barfd* —6A **4**
Kingfisher Bank. *Burn* —6G **9**
Kingfisher Clo. *B'brn* —4H **13**
Kingfisher Ct. *Osw* —5K **21**
King La. *Clith* —5E **2**
Kings Av. *Ross* —4G **29**
King's Bri. Clo. *B'brn* —4E **18**
King's Bri. St. *B'brn* —4E **18**
Kingsbridge Wharf. *B'brn* —4E **18**
Kingsbury Pl. *Burn* —6E **6**
King's Causeway. *Brier* —4E **6**
Kingsdale Av. *Burn* —6C **6**
Kings Dri. *Hodd* —4K **27**
Kings Dri. *Pad* —4C **8**
King's Highway. *Acc* —6G **17**
(in two parts)
King's Highway. *Stone & Has*
—5J **23**
Kingsland Gro. *Burn* —6C **10**
Kingsland Rd. *Burn* —7C **10**
Kingsley Av. *Pad* —3D **8**
Kingsley Clo. *Chu* —1A **22**
Kingsley St. *Nels* —6C **4**
Kingsmead. *B'brn* —4C **20**
King's Rd. *Acc* —7C **16**
King's Rd. *B'brn* —5E **18**
Kingston Av. *Acc* —4B **22**
Kingston Cres. *Ross* —6A **28**
Kingston Pl. *Lwr D* —6H **19**
King St. *Acc* —2C **22**
King St. *Bacup* —3H **31**
King St. *B'brn* —1G **19**
King St. *Brclf* —6G **7**
King St. *Brier* —4B **6**
King St. *Chu* —2K **21**
King St. *Clay M* —5A **16**
King St. *Clith* —5E **2**
King St. *Col* —3H **5**
King St. *Gt Har* —2H **15**
King St. *Has* —1B **28**
King St. *Pad* —2B **8**
King St. *Waterf* —5A **30**
King St. Ter. *Brier* —4B **6**
Kingsway. *Acc* —6G **17**

Kingsway. *Burn* —4B **10**
Kingsway. *Chu* —7B **16**
Kingsway. *Gt Har* —1A **16**
Kingsway. *Hap* —7B **8**
Kingsway. *Lwr D* —6K **19**
King William St. *B'brn* —7H **13**
Kinross Clo. *B'brn* —1K **19**
Kinross St. *Burn* —5J **9**
Kinross Wlk. B'brn —1K 19
(off William Hopwood St.)
Kipling Pl. *Gt Har* —3G **15**
Kirby Rd. *B'brn* —3E **18**
Kirby Rd. *Nels* —1C **6**
Kirk Av. *Clith* —5C **2**
Kirkdale Av. *Ross* —4A **30**
Kirkdale Clo. *Dar* —7G **27**
Kirkfell Dri. *Burn* —2H **9**
Kirkgate. *Burn* —6B **10**
Kirkhill Av. *Has* —3C **28**
Kirk Hill Rd. *Has* —2C **28**
Kirk Ho. *Chu* —2K **21**
Kirkmoor Clo. *Clith* —4D **2**
Kirkmoor Rd. *Clith* —4D **2**
Kirk Rd. *Chu* —1K **21**
Kirkstone Av. *B'brn* —5B **18**
Kirk Vw. *Ross* —4C **30**
Knight Cres. *Lwr D* —7K **19**
Knighton Av. *B'brn* —4F **13**
Knightsbridge Av. *Col* —3E **4**
Knott Mt. *Col* —5F **5**
Knotts Dri. *Col* —5F **5**
Knotts La. *Burn* —4D **8**
Knotts La. *Col* —4F **5**
Knott St. *Dar* —4E **26**
Knowle La. *Dar* —2E **26**
Knowlesly Meadows. *Dar* —7G **27**
Knowlesly Rd. *Dar* —7F **27**
Knowles St. *Rish* —6G **15**
Knowl Gap Av. *Has* —4A **28**
Knowl Mdw. *Ross* —6A **28**
Knowlmere St. *Acc* —1C **22**
Knowsley Pk. Way. *Has* —5B **28**
Knowsley Rd. *B'brn & Wilp*
—3B **14**
Knowsley Rd. *Has* —4B **28**
Knowsley Rd. Ind. Est. *Has* —4B **28**
Knowsley Rd. W. *Clay D* —2A **14**
Knowsley St. *Col* —4G **5**
Knunck Knowles Dri. *Clith* —4E **2**
Kyan St. *Burn* —7C **6**

Laburnham Cotts. *Good* —3G **25**
Laburnum Clo. *Burn* —6J **9**
Laburnum Cotts. *Burn* —2F **9**
Laburnum Dri. *Osw* —5A **22**
Laburnum Rd. *B'brn* —4K **13**
Laburnum Rd. *Ross* —6A **28**
Laburnum St. *Has* —2A **28**
Lacey Ct. *Has* —2B **28**
Lachman Rd. *Traw* —5J **5**
Ladbrooke Gro. *Burn* —7K **9**
Lady Av. *Lwr D* —7K **19**
Laithe St. *Burn* —6A **10**
Laithe St. *Col* —4F **5**
Lakeland Way. *Burn* —2G **9**
Lake Vw. Rd. *Col* —1G **5**
Lambert St. *Traw* —6K **5**
Lambeth Clo. *B'brn* —1K **19**
Lambeth St. *B'brn* —7K **13**
Lambeth St. *Col* —3K **5**
Lambton Gates. *Ross* —3J **29**
Lamlash Rd. *B'brn* —4C **20**
Lammack Rd. *B'brn* —3F **13**
Lanark St. *Burn* —6J **9**
Lancaster Av. *Acc* —1B **22**
Lancaster Av. *Has* —5A **28**
Lancaster Dri. *Clay M* —4A **16**
Lancaster Dri. *Clith* —6C **2**
Lancaster Dri. *Pad* —4C **8**
Lancaster Ga. *Nels* —2D **6**
Lancaster Pl. *B'brn* —7E **12**
Lancaster St. *B'brn* —1F **19**
Lancaster St. *Col* —3G **5**
Lancaster St. *Osw* —5H **21**
Lancing Pl. *B'brn* —2F **19**
Landless St. *Brier* —4B **6**
Landseer Clo. *Burn* —7K **9**
Lane End La. *Bacup* —4J **31**
Lane End Rd. *Bacup* —5J **31**

Lane Ends. *Nels* —3E **6**
Lane Head La. *Bacup* —2H **31**
Lane Ho. *Traw* —6K **5**
Lane Ho. Clo. *B'brn* —5E **18**
Laneshaw Clo. *Dar* —1C **26**
Laneside. *Alt* —1E **16**
Laneside Av. *Acc* —7C **16**
Laneside Clo. *Has* —4C **28**
Laneside Ct. *Ross* —3H **29**
Laneside Rd. *Has* —3C **28**
Langdale Av. *Clith* —6C **2**
Langdale Av. *Ross* —3E **28**
Langdale Clo. *Acc* —6E **16**
Langdale Clo. *B'brn* —5B **18**
Langdale Ri. *Col* —2J **5**
Langdale Rd. *B'brn* —6A **18**
Langdale Rd. *Pad* —1B **8**
Langden Brook Sq. *B'brn* —2K **19**
Langfield. *Wors* —4J **11**
Langford St. *Acc* —7F **23**
Langham Av. *Acc* —7C **16**
Langham Rd. *B'brn* —5G **13**
Langham St. *Burn* —4G **9**
Langholme St. *Nels* —2F **7**
Langho St. *B'brn* —4F **19**
Langroyd M. Col —1H 5
(off Croft, The)
Langroyd Rd. *Col* —2H **5**
Langshaw Dri. *Clith* —7E **2**
Lang St. *Acc* —2B **22**
Langwyth Rd. *Burn* —5F **11**
Lansbury Pl. *Nels* —6C **4**
Lansdowne Clo. *Burn* —6K **9**
Lansdowne St. *B'brn* —2E **18**
Larch Clo. *B'brn* —5C **18**
Larch Clo. *Ross* —5F **29**
Larches, The. *B'brn* —5J **13**
Larch Rd. *Osw* —5A **22**
Larch St. *B'brn* —5K **13**
Larch St. *Burn* —3H **9**
Larch St. *Nels* —1G **7**
Largs Rd. *B'brn* —6B **20**
Larkhill. *B'brn* —7J **13**
Lark Hill. *Ross* —2G **29**
Larkhill Av. *Burn* —4D **6**
Larkspur Clo. *B'brn* —5A **18**
Lark St. *Burn* —3H **9**
Lark St. *Col* —2H **5**
Lark St. *Dar* —7F **27**
Latham St. *Burn* —1C **10**
Laund Clough Nature Reserve.
—5F **23**
Laund Gro. *Acc* —5F **23**
Laund Hey Vw. *Has* —4B **28**
Laund La. *Has* —2C **28**
Laund Rd. *Acc* —5E **22**
Laund St. *Ross* —1F **29**
Laurel Av. *Dar* —3F **27**
Laurel St. *Bacup* —2H **31**
Laurel St. *Burn* —6C **10**
Laurier Rd. *Burn* —7C **6**
(in two parts)
Lavender Hill. *Ross* —4F **29**
Lawley Rd. *B'brn* —7D **12**
Lawn St. *Burn* —2F **9**
Lawrence Av. *Burn* —6H **9**
(in two parts)
Lawrence St. *B'brn* —1F **19**
(in two parts)
Lawrence St. *Pad* —1C **8**
Lawrence St. *Ross* —1B **30**
Lawson St. *Ross* —4G **25**
Law St. *Ross* —4B **30**
Laxey Rd. *B'brn* —4H **19**
Lea Bank. *Ross* —3K **29**
Leach St. *B'brn* —3H **19**
Leach St. *Col* —4F **5**
Leacroft. *Lwr D* —7K **19**
Lea Dri. *B'brn* —7G **19**
Leamington Av. *Burn* —1D **10**
Leamington Rd. *B'brn* —6E **12**
Leamington St. *Nels* —2F **7**
Leaver St. *Burn* —5F **9**
Lebanon St. *Burn* —5D **10**
Lee Brook Clo. *Ross* —1G **29**
Leebrook Rd. *Ross* —1F **29**
Lee Ct. *Dar* —1C **26**
Leeds Clo. *B'brn* —1K **19**
Leeds Rd. *Nels* —1F **7**
(in two parts)

Lee Grn. St. *Burn* —2B **10**
(off North St.)
Lee Gro. *Burn* —6G **11**
Lee La. *Rish* —4F **15**
Lee Rd. *Bacup* —5G **31**
Lee Rd. *Nels* —6C **4**
Lee's St. *Bacup* —5K **31**
Lee St. *Acc* —2D **22**
Lee St. *Bacup* —3H **31**
Lee St. *Barfd* —5A **4**
Lee St. *Burn* —2B **10**
Lee St. *Ross* —1G **29**
Leeward Clo. *Lwr D* —7J **19**
Leicester Rd. *B'brn* —3B **20**
Leicester Wlk. *Has* —5B **28**
Leigh Pk. *Hap* —7B **8**
Lemonius St. *Acc* —4D **22**
Lenches Fold. *Col* —5G **5**
Lenches Rd. *Col* —5G **5**
Lench Rd. *Ross* —5K **29**
Lench St. *Ross* —5B **30**
Lennox St. *Wors* —4H **11**
Leonard St. Bacup —5E 30
(off Booth Rd.)
Leonard St. Bacup —5D 30
(off West Vw.)
Leonard St. *Nels* —2F **7**
Leonard Ter. *Waters* —2J **27**
Leopold Rd. *B'brn* —6E **12**
Leopold St. *Col* —4E **4**
Leopold Way. *B'brn* —5K **19**
Levant St. *Pad* —3B **8**
Leven Gro. *Dar* —1C **26**
Levens Clo. *B'brn* —5J **19**
Leven St. *Burn* —6C **10**
Lever St. *Ross* —3H **29**
Lewis St. *Gt Har* —2J **15**
Leyburn Clo. *Acc* —3F **23**
Leyburn Rd. *B'brn* —6E **18**
Leyland Clo. *Traw* —5J **5**
Leyland Rd. *Burn* —4C **10**
Leyland St. *Acc* —3A **22**
Ley St. *Acc* —6F **23**
Library St. *Chu* —2K **21**
Liddesdale Rd. *Nels* —6E **4**
Liddington Clo. *B'brn* —5K **19**
Lidgett. *Col* —3K **5**
Lightbown Cotts. Dar —3B 26
(off Sunnyhurst La.)
Lightbown St. *Dar* —2C **26**
Lilac Av. *Has* —2B **28**
Lilac Gro. *Clith* —6C **2**
Lilac Gro. *Dar* —2F **27**
Lilac Rd. *B'brn* —4K **13**
Lilac St. *Col* —2J **5**
Lilac Ter. *Bacup* —5F **31**
Lilford Rd. *B'brn* —6G **13**
Lily St. *Bacup* —3H **31**
Lily St. *Dar* —4F **27**
Lily St. *Nels* —3G **7**
Limbrick. *B'brn* —6H **13**
Lime Av. *Osw* —6J **21**
Limefield Av. *Brier* —3D **6**
Limefield Ct. *B'brn* —7E **12**
Limefield St. *Acc* —3E **22**
Lime Rd. *Acc* —1C **22**
Lime Rd. *Has* —2C **28**
Limers La. *Gt Har* —2F **15**
Limes Av. *Dar* —5D **26**
Lime St. *B'brn* —6H **13**
Lime St. *Clith* —4F **3**
Lime St. *Col* —2H **5**
Lime St. *Gt Har* —1H **15**
Lime St. *Nels* —1D **6**
Lime Tree Gro. *Ross* —1G **29**
Limewood Clo. *Acc* —2E **22**
Lina St. *Acc* —2A **22**
Linby St. *Burn* —5C **10**
Lincoln Av. *B'brn* —4A **20**
Lincoln Ct. *Chu* —1B **22**
Lincoln Pl. *Has* —2A **28**
Lincoln Rd. *B'brn* —4A **20**
Lincoln St. *Burn* —6B **10**
Lincoln St. *Has* —2A **28**
Lincoln Way. *Clith* —3G **3**
Lindadale Av. *Acc* —5B **22**
Lindadale Clo. *Acc* —5B **22**
Lindale Cres. *Burn* —7B **6**
Linden Av. *B'brn* —6G **13**
Linden Cres. *Dar* —3F **27**

Linden Dri. *Clith* —6F **3**
Linden Lea. *B'brn* —5C **18**
Linden Lea. *Raw* —5F **29**
Linden Rd. *Col* —3G **5**
Linden St. *Burn* —5C **10**
Lindisfarne Av. *B'brn* —4J **19**
Lindisfarne Clo. *Burn* —3K **9**
Lindley St. *B'brn* —3E **18**
Lindon Pk. Rd. *Has* —6C **28**
Lindred Rd. *Brier* —2B **6**
Lindsay Pk. *Burn* —5G **11**
Lindsay St. *Burn* —4B **10**
Lindsey Ho. *Chu* —1B **22**
Linedred La. *Brier* —2C **6**
Line St. *Bacup* —5G **31**
Lingfield Av. *Clith* —7E **2**
Lingfield Ct. *Fen* —5A **18**
Lingfield Way. *B'brn* —5A **18**
Lingmoor Dri. *Burn* —2F **9**
Linkside Av. *Nels* —1J **7**
Linton Dri. *Burn* —7J **9**
Linton Gdns. *Barfd* —5A **4**
Lion Ct. *Chu* —2K **21**
Lionel St. *Burn* —3H **9**
Lion St. *Chu* —1K **21**
Lisbon Dri. *Burn* —5K **9**
Lisbon Dri. *Dar* —4G **27**
Lister St. *Acc* —2B **22**
Lister St. *B'brn* —2H **19**
Littlemoor. *Clith* —7E **2**
Littlemoor Rd. *Clith* —7E **2**
Lit. Moor Vw. *Clith* —7E **2**
Lit. Peel St. *B'brn* —7G **13**
Lit. Queen St. *Col* —4F **5**
Little St. *Acc* —2B **22**
Lit. Toms La. *Burn* —6E **6**
Littondale Gdns. *B'brn* —6A **18**
Liverpool Rd. *Burn* —4F **9**
Livesey Branch Rd. *B'brn & Fen*
—5A **18**
Livesey Ct. *B'brn* —3F **19**
Livesey Fold. *Dar* —3D **26**
Livesey Hall Clo. *B'brn* —4B **18**
Livesey St. *Pad* —2B **8**
Livesey St. *Rish* —5F **15**
(in two parts)
Livingstone Rd. *Acc* —7C **16**
Livingstone Rd. *B'brn* —1E **18**
Livingstone Rd. *Brier* —4C **6**
Livingstone Wlk. *Brier* —3C **6**
Lloyd Clo. *Nels* —1F **7**
Lloyd St. *Bacup* —5E **30**
Lloyd St. *Dar* —2D **26**
Lloyd Wlk. *Nels* —2F **7**
Lock Ga. *Ross* —4C **28**
Lockside. *B'brn* —3G **19**
Lock St. *Osw* —4K **21**
Lockyer Av. *Burn* —4G **9**
Lodge La. *Bacup* —4H **31**
Lodgeside. *Clay M* —4A **16**
Lodge St. *Acc* —2D **22**
Lodge Ter. *Acc* —3K **21**
Logwood St. *B'brn* —5J **13**
Lois Pl. *B'brn* —7F **13**
Lomas La. *Ross* —4F **29**
Lomax Sq. *Gt Har* —2J **15**
Lomax St. *Dar* —3E **26**
Lomax St. *Gt Har* —2H **15**
Lomeshaye Bus. Village. *Nels* —1D **6**
Lomeshaye Ind. Est. *Nels* —1C **6**
(Churchill Way)
Lomeshaye Ind. Est. *Nels* —1B **6**
(Lindred Rd.)
Lomeshaye Pl. *Nels* —1D **6**
Lomeshaye Rd. *Nels* —1D **6**
Lomeshaye Way. *Nels* —1D **6**
Lomond Gdns. *B'brn* —4C **18**
London Rd. *B'brn* —6H **13**
London Ter. *Dar* —3F **27**
London Wlk. *B'brn* —6H **13**
Long Clo. *Clith* —3F **3**
Long Dike. *Ross & Acc* —7K **23**
Long Hey La. *Pick B* —4K **27**
Longholme Rd. *Raw* —3G **29**
Long Mdw. *Col* —3K **5**
Longridge Heath. *Brier* —5E **6**
Long Row. *Mel* —2E **12**
Longshaw La. *B'brn* —3G **19**
Longshaw St. *B'brn* —3G **19**
Longsight Av. *Acc* —7F **17**

Longsight Av. *Clith* —4F **3**
Longsight Rd. *Mel B & Clay D*
    —1A **12**
Longton Clo. *B'brn* —3B **20**
Longton Rd. *Burn* —2K **9**
Longton St. *B'brn* —3A **20**
Longworth Av. *Burn* —4E **10**
Lonsdale Gdns. *Barfd* —5A **4**
Lonsdale St. *Acc* —3A **22**
Lonsdale St. *Burn* —3H **9**
Lonsdale St. *Nels* —1G **7**
Lord Av. *Bacup* —5E **30**
Lord's Cres. *Lwr D* —7K **19**
Lord Sq. *B'brn* —7H **13**
Lord St. *Acc* —2C **22**
Lord St. *Bacup* —3H **31**
Lord St. *B'brn* —7H **13**
Lord St. *Brier* —4C **6**
Lord St. *Col* —3F **5**
Lord St. *Craw* —5F **25**
Lord St. *Dar* —3E **26**
Lord St. *Gt Har* —3H **15**
Lord St. *Osw* —4K **21**
Lord St. *Raw* —3G **29**
Lord St. *Rish* —6G **15**
Lord St. Mall. B'brn —7H **13**
    (off Lord Sq.)
Lord St. W. *B'brn* —7H **13**
Lorne St. *Dar* —3D **26**
Lorton Clo. *Burn* —2G **9**
Lothersdale Clo. *Burn* —6E **6**
Lottice La. *B'brn & Osw* —7E **20**
Lotus St. Bacup —2H **31**
    (off Burnley Rd.)
Loughrigg Clo. *Burn* —3G **9**
Loveclough Rd. *Ross* —2F **25**
Lovely Hall La. *Sale* —1A **14**
Lovers La. *Has* —1B **28**
Lover's Wlk. *Acc* —5A **22**
Low Bank. *Burn* —4D **8**
Lwr. Antley St. *Acc* —4C **22**
Lwr. Ashworth Clo. *B'brn* —1F **19**
Lwr. Aspen La. *Osw* —3H **21**
Lwr. Audley Ind. Est. *B'brn*
    —1H **19**
Lwr. Audley St. *B'brn* —1H **19**
Lwr. Barnes St. *Clay M* —3K **15**
Lwr. Barn St. *Dar* —6G **27**
Lwr. Clough St. *Barfd* —6A **4**
Lwr. Clowes. *Ross* —5F **29**
Lwr. Clowes Rd. *Ross* —5E **28**
Lwr. Cockcroft. *B'brn* —7H **13**
Lwr. Cribden Av. *Ross* —3D **29**
Lwr. Cross St. *Dar* —4E **26**
Lwr. Eccleshill Rd. *Dar* —7K **19**
    (in two parts)
Lowerfields. *Burn* —4E **8**
Lowerfold. *Gt Har* —1H **15**
Lowerfold Rd. *Gt Har* —1H **15**
Lowergate. *Clith* —5E **2**
Lwr. Gate Rd. *Acc* —5G **17**
Lwr. Hazel Clo. *B'brn* —1F **19**
Lwr. Hollin Bank St. *B'brn* —2G **19**
Lowerhouse Cres. *Burn* —4F **9**
Lowerhouse Fold. *Burn* —4F **9**
Lowerhouse La. *Burn* —4E **8**
Lower La. *Has* —1B **28**
Lwr. Manor La. *Burn* —7A **6**
Lwr. Mead Dri. *Burn* —7A **6**
Lwr. Philips Rd. *Whi I* —7B **14**
Lwr. Ridge Clo. *Burn* —4C **10**
Lwr. Rosegrove La. *Burn* —5E **8**
Lwr. School St. Col —4G **5**
    (off School St.)
Lwr. Tentre. *Burn* —5C **10**
Lwr. Timber Hill La. *Burn* —7B **10**
Lwr. Wilworth. *B'brn* —3H **13**
Lwr. Wood Bank. Dar —3C **26**
    (off Higher Avondale Rd.)
Loweswater Cres. *Burn* —2G **9**
Lowe Vw. *Ross* —4B **30**
Low Hill. *Dar* —7E **26**
Lowood Pl. *B'brn* —6D **12**
Lowther Pl. *B'brn* —4K **13**
Lowther St. *Col* —2H **5**
Lowther St. *Nels* —1D **6**
Lowthwaite Dri. *Nels* —3F **7**
Loynd St. *Gt Har* —2H **15**
Lubbock St. *Burn* —4H **9**
Lucy St. *Barfd* —5A **4**

Luke St. *Bacup* —5E **30**
Lumb Holes La. *Ross* —6A **30**
Lumb La. *Ross* —1B **30**
Lumb Scarr. *Bacup* —3H **31**
Lund St. *B'brn* —1F **19**
Lune St. *Col* —4H **5**
Lune St. *Pad* —2C **8**
Lupin Clo. *Acc* —1B **22**
Lupin Rd. *Acc* —1C **22**
Lupton Dri. *Barfd* —4A **4**
Lutner St. *Burn* —5B **10**
Lych Ga. *Wadd* —1B **2**
Lydgate. *Burn* —7F **7**
Lydia St. *Acc* —4C **22**
Lyndale Av. *Has* —3B **28**
Lyndale Av. *Wilp* —1C **14**
Lyndale Clo. *Ross* —5G **25**
Lyndale Clo. *Wilp* —1C **14**
Lyndale Rd. *Hap* —7B **8**
Lyndhurst Av. *B'brn* —3D **20**
Lyndhurst Gro. *Gt Har* —1K **15**
Lyndhurst Rd. *B'brn* —3H **19**
Lyndhurst Rd. *Burn* —5C **10**
Lyndhurst Rd. *Dar* —2C **26**
    (in two parts)
Lyndon Av. *Gt Har* —1K **15**
Lyndon Ct. *Gt Har* —1K **15**
Lyndon Ho. *Gt Har* —1K **15**
Lynfield Rd. *Gt Har* —1K **15**
Lynthorpe Rd. *B'brn* —3H **19**
Lynthorpe Rd. *Nels* —7D **4**
Lynton Rd. *Acc* —4A **22**
Lynwood Av. *Clay M* —4A **16**
Lynwood Av. *Dar* —2C **26**
Lynwood Clo. *Clay M* —3A **16**
Lynwood Clo. *Col* —1G **5**
Lynwood Clo. *Dar* —2C **26**
Lynwood Rd. *Acc* —5F **17**
Lynwood Rd. *B'brn* —6E **12**
Lytham Rd. *B'brn* —5J **19**
Lytham Rd. *Burn* —7D **6**
Lytton St. *Burn* —3E **8**

Mabel St. *Col* —3J **5**
Macauley St. *Burn* —5H **9**
Macleod St. *Nels* —1E **6**
Maden Clo. *Bacup* —3H **31**
Maden Rd. *Bacup* —3F **31**
Maden St. *Chu* —2K **21**
Magpie Clo. *Burn* —5H **9**
Maiden St. *Ross* —6B **24**
Maitland Pl. *Ross* —4G **29**
Maitland St. *Bacup* —3H **31**
Major St. *Acc* —4C **22**
Major St. *Ross* —5G **25**
Malham Av. *Acc* —4A **22**
Malham Rd. *Burn* —6E **6**
Malham Wend. *Barfd* —5A **4**
Malkin Clo. *Black* —1B **4**
Mallard Pl. *Osw* —5J **21**
Mall, The. *Burn* —4B **10**
Malta St. *Dar* —5F **27**
Malt St. *Acc* —1C **22**
Malvern Av. *B'brn* —4H **19**
Malvern Av. *Osw* —5K **21**
Malvern Av. *Pad* —4C **8**
Malvern Clo. *Acc* —1B **22**
Malvern Rd. *Nels* —7C **4**
Malvern Way. *Ross* —6A **28**
Manchester Rd. *Acc* —3D **22**
Manchester Rd. *Dunn* —7K **9**
Manchester Rd. *Hap & Pad* —6B **8**
Manchester Rd. *Has* —2B **28**
Manchester Rd. *Nels* —2D **6**
Mancknols St. *Nels* —2G **7**
Mancknols Walton Cottage Homes,
    The. *Nels* —1J **7**
Mandela Ct. B'brn —5H **13**
    (off Wimberley St.)
Manitoba Clo. *B'brn* —4E **12**
Manner Sutton St. *B'brn* —7J **13**
Manor Brook. *Acc* —2D **22**
Manor Pl. *Chu* —1A **22**
Manor Rd. *B'brn* —7E **12**
Manor Rd. *Burn* —3G **9**
Manor Rd. *Clith* —6D **2**
Manor Rd. *Col* —1H **5**
Manor Rd. *Dar* —5D **26**
Manor St. *Acc* —1D **22**

Manor St. *Bacup* —4H **31**
Manor St. *Nels* —2G **7**
Mansergh St. *Burn* —7D **6**
Mansfield Cres. *Brier* —3D **6**
Mansfield Rd. *Burn* —3D **6**
Mansion St. S. *Acc* —2E **22**
Manxman Rd. *B'brn* —4H **19**
Maple Av. *Clith* —6D **2**
Maple Av. *Has* —2C **28**
Maple Bank. *Burn* —3D **10**
Maple Clo. *Clay D* —2A **14**
Maple Cres. *Rish* —7G **15**
Maple Dri. *Osw* —5A **22**
Maple St. *B'brn* —5K **13**
Maple St. *Clay M* —5A **16**
Maple St. *Rish* —6G **15**
Marabou Dri. *Burn* —2B **26**
Marble St. *Osw* —4K **21**
March St. *Burn* —2A **10**
Margaret St. *B'brn* —4C **20**
Margaret St. *Osw* —6H **21**
Margaret St. *Ross* —1F **29**
Maria Ct. Burn —6B **10**
    (off Glebe St.)
Maria St. *Dar* —7F **27**
Maricourt Av. *B'brn* —3C **20**
Marine Av. *Burn* —6H **9**
Market Av. *B'brn* —7H **13**
Market Pl. *Clith* —5E **2**
Market Pl. *Col* —3H **5**
Mkt. Promenade. *Burn* —4B **10**
Market Sq. *Burn* —4B **10**
Market Sq. *Nels* —1E **6**
Market St. *Bacup* —4H **31**
Market St. *Chu* —3K **21**
Market St. *Col* —3H **5**
Market St. *Dar* —4E **26**
Market St. *Nels* —1E **6**
Market St. *Ross* —5A **30**
Market St. La. *B'brn* —1H **19**
Market Way. B'brn —7H **13**
    (off Blackburn Shop. Cen.)
Markham Rd. *B'brn* —2E **18**
Markross St. *Ross* —3G **29**
Mark St. *Bacup* —5E **30**
Mark St. *Burn* —1C **10**
Marlborough Rd. *Acc* —7C **16**
Marlborough St. *Burn* —5A **10**
Marles Ct. Burn —2C **10**
    (off Pheasantford Grn.)
Marlin St. *Nels* —6C **4**
Marlowe Av. *Acc* —6F **23**
Marlowe Av. *Pad* —3D **8**
Marlowe Cres. *Gt Har* —3G **15**
Marl Pits. *Ross* —2H **29**
Marlton Rd. *B'brn* —3G **19**
Marquis Clo. *Lwr D* —6J **19**
Marsden Ct. *Burn* —6D **6**
Marsden Cres. *Nels* —1H **7**
Marsden Dri. *Brier* —3E **6**
Marsden Gro. *Brier* —4D **6**
Marsden Hall Rd. *Nels* —1H **7**
Marsden Hall Rd. N. *Nels* —7D **4**
Marsden Hall Rd. S. *Nels* —1H **7**
Marsden Height Clo. *Brier* —4F **7**
Marsden Pk. Golf Course. —1K **7**
Marsden Pl. *Nels* —1H **7**
Marsden Rd. *Burn* —6D **6**
Marsden Sq. *Has* —1B **28**
Marsden St. *Acc* —4C **22**
Marsden St. *B'brn* —3E **18**
Marsden St. *Has* —2A **28**
Marshall Av. *Acc* —5G **17**
Marsham Gro. *Dar* —4G **27**
Marsh Ho. La. *Dar* —4F **27**
Marsh Ter. *Dar* —3E **26**
Martholme Av. *Clay M* —4B **16**
Martin Cft. Rd. *Has* —7A **24**
Martindale Clo. *B'brn* —6B **20**
Martin Dri. *Dar* —7G **27**
Martinfields. *Burn* —5D **6**
Martinique Dri. *Lwr D* —7J **19**
Martin St. *Burn* —1C **10**
Marton Dri. *Burn* —7K **9**
Marton Wlk. *Dar* —7F **27**
Maryport Clo. *B'brn* —5J **19**
Mary St. *B'brn* —1K **19**
Mary St. *Burn* —5C **10**

Mary St. *Col* —4F **5**
Mary St. *Dar* —5F **27**
Mary St. *Rish* —6G **15**
Masefield Av. *Pad* —3D **8**
Masefield Clo. *Gt Har* —3G **15**
Mason St. *Acc* —2D **22**
Mason St. *Col* —3G **5**
Mason St. *Osw* —5J **21**
Massey La. *Brier* —4B **6**
Massey St. *Brier* —5B **6**
Massey St. *Burn* —4B **10**
    (in two parts)
Mather Av. *Acc* —7C **16**
Matlock Gro. *Burn* —7D **6**
Matlock St. *Dar* —3C **26**
Matthew Clo. *Col* —4H **5**
Matthew St. *B'brn* —3E **18**
Maudsley Av. *Acc* —2D **22**
Maudsley St. *B'brn* —7J **13**
Maud St. *Barfd* —6A **4**
Maurice St. *Nels* —1D **6**
Mavis Rd. *B'brn* —7D **12**
Maybury Av. *Burn* —3G **9**
Mayfair Clo. *Ross* —6A **28**
Mayfair Cres. *Wilp* —3B **14**
Mayfair Rd. *Burn* —5F **11**
Mayfair Rd. *Nels* —7D **4**
Mayfield Av. *Clith* —6F **3**
Mayfield Av. *Has* —4A **28**
Mayfield Av. *Osw* —4K **21**
Mayfield Flats. *Dar* —6F **27**
Mayfield Fold. *Burn* —7C **10**
Mayfield Gdns. *Osw* —4A **22**
Mayfield Rd. *Rams* —4A **14**
Mayfield St. *B'brn* —2H **19**
Mayflower St. *B'brn* —3E **18**
Mayson St. *B'brn* —1H **19**
May St. *Barfd* —6A **4**
May St. *B'brn* —1H **19**
May St. *Burn* —6C **10**
May St. *Nels* —6C **4**
Mayville Rd. *Brier* —3C **6**
McAuley Mt. *Burn* —2F **9**
Meadoway. *Chu* —1A **22**
Meadow Bank. *Acc* —1D **22**
Mdw. Bank Av. *Burn* —4C **6**
Meadow Bank Rd. *Nels* —1E **6**
Meadow Clo. *Burn* —5C **6**
Meadow Clo. *Hun* —6G **17**
Meadow Ct. Osw —4K **21**
    (off Haworth St.)
Meadowcroft. *Lwr D* —7K **19**
Meadowcroft Clo. *Raw* —7G **25**
Meadowfields. *Rish* —6G **15**
Meadow Gdns. *Rish* —6G **15**
Meadow Ga. *Dar* —3F **27**
Meadowhead. *Rish* —6G **15**
Mdw. Head Clo. *B'brn* —4D **18**
Meadowhead Dri. *Rish* —6H **15**
Mdw. Head La. *Dar* —1A **26**
Meadowlands. *Clith* —5C **2**
Meadow Ri. *B'brn* —5D **18**
Meadows Av. *Bacup* —1H **31**
Meadows Av. *Has* —3C **28**
Meadowside Av. *Clay M* —4K **15**
Meadows, The. *Burn* —2J **9**
Meadows, The. *Col* —2G **5**
Meadows, The. *Dar* —1C **26**
Meadows, The. *Osw* —5A **22**
Meadow St. *Acc* —2D **22**
Meadow St. *Burn* —4A **10**
Meadow St. *Dar* —6F **27**
Meadow St. *Gt Har* —3H **15**
Meadow St. *Pad* —1B **8**
Meadow Va. *B'brn* —7H **19**
Meadow Vw. *Clith* —5C **2**
Meadow Way. *Bacup* —3H **31**
Mearley Brook Fold. *Clith* —6F **3**
Mearley St. *Clith* —6E **2**
Mearley Syke. *Clith* —5F **3**
Medina Clo. *Acc* —3C **22**
Meins Cft. *B'brn* —7D **12**
Meins Rd. *B'brn & Pleas* —6A **12**
Melbourne St. *Clay M* —5J **21**
Melbourne St. *Dar* —7F **27**
Melbourne St. *Osw* —6B **16**
Melbourne St. *Pad* —3C **8**
Melbourne St. *Ross* —4B **30**
Melfort Clo. *B'brn* —4C **18**
Melia Clo. *Ross* —3F **29**

Newton St. *B'brn* —3A **20**
Newton St. *Burn* —3H **9**
Newton St. *Clith* —6D **2**
Newton St. *Dar* —3E **26**
Newton St. *Osw* —3G **21**
Newtown St. *Col* —3H **5**
(in two parts)
New Wellington Clo. *B'brn* —4F **19**
New Wellington Gdns. *B'brn*
—4F **19**
New Wellington St. *B'brn* —4F **19**
Nicholas St. *Brclf* —6F **7**
Nicholas St. *Burn* —5B **10**
Nicholas St. *Col* —4F **5**
Nicholas St. *Dar* —4D **26**
Nicholl St. *Burn* —2B **10**
Nickey La. *Mel* —2C **12**
Nightingale Cres. *Burn* —6H **9**
Nile St. *Nels* —7A **4**
(off Clayton Clo.)
Niton Clo. *Has* —4C **28**
Noble St. *Dar* —5E **26**
Noble St. *Gt Har* —3H **15**
Noble St. *Rish* —6G **15**
Noblett St. *B'brn* —7J **13**
Nook La. *B'brn* —4C **18**
Nook La. *Osw* —6F **21**
Nook Ter. *B'brn* —4D **18**
Nora St. *Barfd* —5A **4**
Norbreck Clo. *B'brn* —5J **19**
Norfolk Av. *Burn* —3G **9**
Norfolk Av. *Pad* —4C **8**
Norfolk Clo. *Clay M* —4A **16**
Norfolk Gro. *Chu* —1B **22**
Norfolk St. *Acc* —1E **22**
Norfolk St. *B'brn* —3F **19**
Norfolk St. *Col* —3H **5**
Norfolk St. *Dar* —4F **27**
Norfolk St. *Nels* —1E **6**
Norfolk St. *Rish* —6F **15**
Norham Clo. *Burn* —3K **9**
Norman Rd. *Osw* —3H **21**
Norman St. *B'brn* —2F **19**
Norman St. *Burn* —3B **10**
Norris St. *Dar* —4F **27**
N. Bank Av. *B'brn* —3H **13**
Northcliffe. *Gt Har* —1G **15**
Northcote St. *Dar* —7F **27**
Northcote St. *Has* —3B **28**
Northfield Rd. *Acc* —4A **24**
Northfield Rd. *B'brn* —5H **13**
Northgate. *B'brn* —7H **13**
North Pk. Av. *Barfd* —7A **4**
North Rd. *B'brn* —4A **20**
North Rd. *Ross* —3J **29**
North St. *Brclf* —6G **7**
North St. *Burn* —1B **10**
North St. *Clith* —4F **3**
North St. *Col* —2H **5**
North St. *Hap* —5B **8**
North St. *Has* —4C **28**
North St. *Nels* —7A **4**
North St. *Pad* —1B **8**
North St. *Raw* —3G **29**
North St. *Ross* —4A **30**
N. Valley Rd. *Col* —3F **5**
North Vw. *Ross* —4G **25**
North Vw. *Traw* —6J **5**
Northwood Clo. *Burn* —2J **9**
Norton St. *Hap* —6B **8**
Norwich St. *B'brn* —5J **13**
Norwood Av. *B'brn* —3H **19**
Norwood Av. *Nels* —6C **4**
Notre Dame Gdns. *B'brn* —6J **13**
Nottingham St. *B'brn* —1K **19**
Nowell St. *Gt Har* —2H **15**
Noyna St. *Col* —1H **5**
Noyna Vw. *Col* —1H **5**
Nursery Nook. *E'hill* —1H **27**
Nuttall Av. *Gt Har* —3H **15**
(Burnley Rd.)
Nuttall St. *Acc* —7E **16**
(Burnley Rd.)
Nuttall St. *Acc* —3D **22**
(Mount St.)
Nuttall St. *Bacup* —2K **31**
Nuttall St. *B'brn* —4G **19**
Nuttall St. *Burn* —6C **10**
Nuttall St. *Ross* —2H **29**
Nuttall St. M. *Acc* —3D **22**
(off Nuttall St.)

Nutter Rd. *Acc* —1D **22**

Oak Av. *Acc* —4A **24**
Oak Bank. *Acc* —5E **16**
Oakdene Av. *Acc* —6F **17**
Oaken Bank. *Burn* —6F **7**
Oaken Clo. *Bacup* —2K **31**
Oakenclough Rd. *Bacup* —2K **31**
Oakeneaves Av. *Burn* —7J **9**
Oakenhead Wood Old Rd. *Ross*
—2D **28**
Oakenhurst Rd. *B'brn* —1G **19**
Oakfield Av. *Acc* —6F **17**
Oakfield Av. *Clay M* —4K **15**
Oakfield Cres. *Osw* —4A **22**
Oakfield Rd. *B'brn* —6G **19**
Oak Gro. *Dar* —3F **27**
Oak Hill Clo. *Acc* —4D **22**
Oakhurst Av. *Acc* —6F **17**
Oaklands Av. *Barfd* —5A **4**
Oaklands Dri. *Ross* —3E **28**
Oakland St. *Nels* —1F **7**
Oak La. *Acc* —3E **22**
Oakley Rd. *Ross* —3F **29**
Oakley St. *Ross* —4E **28**
Oakmere Clo. *B'brn* —7G **19**
Oak St. *Acc* —3D **22**
Oak St. *Bacup* —2J **31**
Oak St. *B'brn* —4J **13**
Oak St. *Brier* —3C **6**
Oak St. *Burn* —4H **9**
Oak St. *Clay M* —5A **16**
Oak St. *Col* —2H **5**
Oak St. *Dunn* —1H **25**
Oak St. *Gt Har* —1H **15**
Oak St. *Nels* —7B **4**
Oak St. *Osw* —5J **21**
Oakwood Av. *B'brn* —3K **13**
Oakwood Clo. *Burn* —6E **6**
Oakwood Clo. *Dar* —1C **26**
Oakwood Rd. *Acc* —5E **22**
Oat St. *Pad* —3C **8**
Oban Dri. *B'brn* —5B **20**
Oban St. *Burn* —2D **10**
Observatory Rd. *B'brn* —3K **19**
O'er the Bridge. *Hodd* —4K **27**
(off Hoddlesden Rd.)
Off Mt. Pleasant St. *Osw* —4K **21**
(off Chapel St.)
Ogden Clo. *Helm* —6A **28**
Ogden Dri. *Helm* —6A **28**
O'Hagan Ct. *Brier* —3C **6**
Old Bank La. *B'brn* —3K **19**
(in two parts)
Old Bank St. *B'brn* —1H **19**
Old Carr Mill St. *Ross* —7B **24**
Old Farmside. *B'brn* —6G **19**
Oldfield Av. *Dar* —2C **26**
Old Gates Dri. *B'brn* —4C **18**
Old Hall Dri. *Hun* —6G **17**
Old Hall Sq. *Wors* —5H **11**
Old Hall St. *Burn* —2B **10**
Oldham St. *Burn* —4H **9**
Old Kiln. *Bacup* —5F **31**
Old Meadows Rd. *Bacup* —1H **31**
Old Mill Dri. *Col* —4J **5**
Old Mill St. *B'brn* —6J **13**
Old Parsonage La. *Pad* —2A **8**
Old Row. *Ross* —4E **28**
Old School M. *Stac* —5E **30**
Old Sta. Ct. *Clith* —5E **2**
(off Station Rd.)
Old Station Ct. *Clith* —5E **2**
(off Station Rd.)
Old St. *Ross* —4A **30**
Olivant St. *Burn* —3H **9**
Olive La. *Dar* —3E **26**
Oliver St. *Bacup* —5E **30**
Olive St. *Bacup* —5G **31**
Olive Ter. *Ross* —7F **25**
Olympia St. *Burn* —5D **10**
Onchan Dri. *Bacup* —4K **31**
Onchan Rd. *B'brn* —4H **19**
Ontario Clo. *B'brn* —4D **12**
Oozebooth Ter. *B'brn* —5H **13**
Oozehead La. *B'brn* —7E **12**
Opal St. *B'brn* —2H **13**
Openshaw Dri. *B'brn* —3H **13**

Oporto Clo. *Burn* —5K **9**
Orange St. *Acc* —7C **16**
Orchard Bri. *Burn* —4A **10**
(off Active Way)
Orchard Clo. *B'brn* —7G **19**
Orchard Dri. *Osw* —3A **22**
Orchard Mill St. *Dar* —3D **26**
Orchard St. *Gt Har* —3H **15**
Orchard Ter. *Traw* —6J **5**
Orchard, The. *Burn* —6H **9**
(off Heather Bank)
Ordnance St. *B'brn* —7K **13**
Oriole Clo. *B'brn* —6J **13**
Orkney Clo. *B'brn* —5B **20**
Ormerod Rd. *Burn* —4B **10**
Ormerod St. *Acc* —4B **22**
Ormerod St. *Burn* —5A **10**
Ormerod St. *Col* —4F **5**
Ormerod St. *Has* —5B **24**
Ormerod St. *Nels* —1G **7**
Ormerod St. *Raw* —3G **29**
Ormerod St. *Wors* —6H **11**
Ormerod Vw. *Wors* —5J **11**
(off Ormerod St.)
Orpen Av. *Burn* —7A **10**
Orpington Sq. *Burn* —6D **6**
Orton Ct. *Barfd* —4A **4**
Osborne Rd. *B'brn* —6E **12**
Osborne Ter. *Bacup* —5F **31**
Osborne Ter. *Dar* —3C **26**
Osborne Ter. *Raw* —3E **28**
Osborne Ter. *Waterf* —1B **30**
Osborne Way. *Has* —4A **28**
Oslo Rd. *Burn* —5G **9**
Osprey Clo. *B'brn* —4G **13**
Oswald St. *Acc* —2D **22**
Oswald St. *B'brn* —6H **13**
Oswald St. *Burn* —2A **10**
Oswald St. *Osw* —5H **21**
Oswald St. *Rish* —5H **15**
Ottawa Clo. *B'brn* —4E **12**
Otterburn Gro. *Burn* —4E **10**
Otterburn Rd. *B'brn* —6F **19**
Ottershaw Gdns. *B'brn* —4H **13**
Ouseburn Rd. *B'brn* —5F **19**
Outram La. *B'brn* —3H **13**
Outwood Rd. *Burn* —6C **10**
Owen Ct. *Clay M* —4A **16**
Owen St. *Acc* —1C **22**
Owen St. *Burn* —5F **9**
Owen St. *Dar* —2E **26**
Owlet Hall Rd. *Dar* —3C **26**
Oxford Av. *Clay M* —4B **16**
Oxford Clo. *B'brn* —1J **19**
Oxford Clo. *Pad* —4C **8**
Oxford Dri. *B'brn* —4D **20**
Oxford Pl. *Burn* —5C **10**
Oxford Rd. *Burn* —5C **10**
Oxford Rd. *Nels* —6D **4**
Oxford St. *Acc* —2C **22**
Oxford St. *Brier* —4C **6**
Oxford St. *Col* —3H **5**
Oxford St. *Dar* —1D **26**
Ox Hey. *Clay M* —3A **16**
Oxhey Clo. *Burn* —4G **11**

Paddock La. *B'brn* —4C **20**
Paddock St. *Osw* —4K **21**
Paddock, The. *B'brn* —4D **12**
Paddock, The. *Burn* —6C **6**
Paddock, The. *Osw* —4K **21**
Padgate Pl. *Burn* —6G **9**
Padiham Rd. *Burn* —3E **8**
(in two parts)
Pagefield Cres. *Clith* —6G **3**
Paignton Rd. *B'brn* —5G **13**
Paisley St. *Burn* —5J **9**
Palace Gdns. *Burn* —3G **9**
Palace St. *Burn* —3H **9**
Palatine Rd. *B'brn* —7F **13**
Palatine Sq. *Burn* —5K **9**
Pall Mall. *B'brn* —7B **12**
Palmerston St. *Pad* —3C **8**
Palmer St. *B'brn* —6G **13**
Palm St. *B'brn* —5K **13**
Palm St. *Burn* —5J **9**
(off Burdett St.)
Pansy St. N. *Acc* —1C **22**
Pansy St. S. *Acc* —1C **22**

Parade, The. *Has* —5A **28**
Paradise La. *B'brn* —1H **19**
Paradise St. *Acc* —3C **22**
Paradise St. *Barfd* —3B **4**
Paradise St. *B'brn* —1G **19**
Paradise St. *Burn* —4A **10**
Paradise St. *Ross* —3B **30**
Paradise Ter. *B'brn* —1H **19**
Paris. *Rams* —4A **14**
Parish St. *Pad* —1B **8**
Park Av. *Barfd* —1D **6**
Park Av. *B'brn* —6G **13**
Park Av. *Burn* —6K **9**
Park Av. *Chat* —1K **3**
Park Av. *Clith* —4E **2**
Park Av. *Gt Har* —1J **15**
Park Av. *Has* —4B **28**
Park Bri. Rd. *Burn* —7E **10**
Park Cres. *Acc* —4B **22**
Park Cres. *Bacup* —5H **31**
Park Cres. *B'brn* —6F **13**
Park Cres. *Has* —4B **28**
Parkdale Gdns. *B'brn* —7G **19**
Park Dri. *Brier* —4D **6**
Park Dri. *Nels* —2G **7**
Parker Av. *Barfd* —1D **6**
Parker La. *Burn* —5B **10**
Parker St. *Acc* —6F **23**
(Hollins La.)
Parker St. *Acc* —7F **17**
(South St.)
Parker St. *Brclf* —6G **7**
Parker St. *B'brn* —4B **10**
(off Barnes St.)
Parker St. *Burn* —4B **10**
(Kingsway, in two parts)
Parker St. *Col* —3F **5**
Parker St. *Nels* —6C **4**
Parker St. *Rish* —5G **15**
Pk. Farm Rd. *B'brn* —6A **18**
Parkinson Fold. *Has* —7C **28**
Parkinson St. *B'brn* —3E **18**
Parkinson St. *Burn* —6B **10**
Parkinson St. *Has* —2A **28**
Parkinson Ter. *Traw* —6J **5**
Parklands. *Has* —4B **28**
Parklands Way. *B'brn* —5E **18**
Parkland Vw. *Burn* —7K **9**
Park La. *Brier* —4D **6**
Park La. *Gt Har* —1H **15**
Park La. *Osw* —5K **21**
Pk. Lee Rd. *B'brn* —4H **19**
Park Pl. *B'brn* —2E **18**
(off Spring La.)
Park Pl. *Fen* —6A **18**
Park Rd. *Acc* —2B **22**
Park Rd. *Bacup* —4H **31**
Park Rd. *B'brn* —2H **19**
Park Rd. *Dar* —7F **27**
Park Rd. *Gt Har* —1J **15**
Park Rd. *Pad* —3B **8**
Park Rd. *Rish* —6H **15**
Park Rd. *Waterf* —4B **30**
Park Rd. Ind. Est. *Bacup* —4H **31**
Park Side Rd. *Nels* —1J **7**
Park St. *Acc* —2D **22**
Park St. *Barfd* —4A **4**
Park St. *Clith* —7E **2**
Park St. *Gt Har* —2J **15**
Park St. *Has* —2B **28**
Park St. E. *Barfd* —4B **4**
Park Ter. *B'brn* —5G **13**
Park Vw. *Brier* —2C **6**
(off Pk View. Clo.)
Park Vw. *Chu* —1B **22**
Park Vw. *Pad* —2B **8**
Park Vw. *Ross* —7G **25**
Park Vw. *Waterf* —4B **30**
Pk. View Clo. *Brier* —2C **6**
Park Way. *Col* —2F **5**
Parkwood Av. *Burn* —3J **9**
Pk. Wood Dri. *Ross* —3E **28**
Parkwood Rd. *B'brn* —4A **20**
Parliament St. *Burn* —6B **10**
Parliament St. *Col* —3H **5**
Parliament St. *Dar* —4E **26**
Parramatta St. *Ross* —3G **29**
Parrock St. *Nels* —7B **4**
Parrock St. *Ross* —5G **25**
Parsonage Dri. *Brier* —4D **6**

Prospect Ter. *Ross* —4B **30**
(off Prospect St.)
Prospect Ter. *Ross* —7F **25**
(off East St.)
Providence St. *B'brn* —4K **13**
Prunella Dri. *Lwr D* —6K **19**
Pump St. *B'brn* —1F **19**
Pump St. *Burn* —4K **9**
Pump St. *Clith* —5D **2**
Punstock La. *Dar* —5D **26**
Punstock Rd. *Dar* —4D **26**

Quakerfields. *Dar* —3E **26**
Quaker La. *Dar* —3E **26**
Quarry Bank St. *Burn* —3H **9**
Quarry Farm Ct. *Chat* —1K **3**
Quarry Hill Nature Reserve.
—3G **7**
Quarry St. *Acc* —3D **22**
Quarry St. *Bacup* —3J **31**
Quarry St. *B'brn* —7J **13**
Quarry St. *Hap* —5K **17**
Quarry St. *Pad* —1C **8**
Quebec Rd. *B'brn* —4E **12**
Queen Anne St. *Has* —2A **28**
Queen Elizabeth Cres. *Acc* —3D **22**
Queensberry Rd. *Burn* —5K **9**
Queensborough Rd. *Acc* —1C **22**
Queens Clo. *Clith* —6E **2**
Queen's Dri. *Osw* —5A **22**
Queensgate. *Nels* —2D **6**
Queen's Lancashire Way. *Burn*
—4A **10**
Queen's Pk. Rd. *B'brn* —1K **19**
Queen's Pk. Rd. *Burn* —2C **10**
Queen's Rd. *Acc* —1C **22**
Queen's Rd. *B'brn* —5A **20**
Queen's Rd. *Burn* —7C **6**
Queens Rd. *Clith* —6E **2**
Queen's Rd. *Dar* —7F **27**
Queens Rd. W. *Chu* —7A **16**
Queen's Sq. *Hodd* —4K **27**
Queen's Sq. *Ross* —3G **29**
Queen's Ter. *Bacup* —5G **31**
Queen's Ter. *B'brn* —4E **18**
Queen's Ter. *Pad* —2B **8**
Queen's Ter. *Ross* —3G **29**
(off Queen St.)
Queen St. *Acc* —2D **22**
Queen St. *Bacup* —3H **31**
Queen St. *Barfd* —4A **4**
Queen St. *Brclf* —6G **7**
Queen St. *Burn* —5A **10**
Queen St. *Clay M* —4A **16**
Queen St. *Clith* —5C **2**
Queen St. *Col* —4F **5**
Queen St. *Dar* —3D **26**
Queen St. *Gt Har* —2H **15**
Queen St. *Hodd* —4K **27**
Queen St. *Nels* —7B **4**
Queen St. *Osw* —4K **21**
Queen St. *Pad* —2B **8**
Queen St. *Ross* —3G **29**
Queen St. *Stac* —5E **30**
Queens Wlk. *Gt Har* —2J **15**
Queensway. *B'brn* —6D **18**
Queensway. *Chu* —1A **22**
Queensway. *Clith* —6E **2**
Queensway. *Ross* —4A **30**
Queensway. *Wadd* —1B **2**
Queen Victoria Rd. *Burn* —1C **10**
(Briercliffe Rd.)
Queen Victoria Rd. *Burn* —3C **10**
(Ormerod Rd.)
Queen Victoria St. *B'brn* —3E **18**

Rabbit Wlk. *Burn* —7C **10**
Raby St. *Ross* —3G **29**
Radclyffe St. *Clith* —4E **2**
Radfield Av. *Dar* —5E **26**
Radfield Head. *Dar* —5D **26**
Radfield Rd. *Dar* —5D **26**
Radford Bank Gdns. *Dar* —5E **26**
Radford Gdns. *Dar* —6E **26**
Radford St. *Dar* —5E **26**
Radnor Av. *Burn* —3F **9**
Radnor Clo. *Burn* —4H **21**
Radnor St. *Acc* —1C **22**

Raeburn Av. *Burn* —7K **9**
Raedale Av. *Burn* —5C **6**
Raglan Rd. *Burn* —5K **9**
Raglan St. *Col* —4G **5**
Raglan St. *Nels* —7A **4**
Railgate. *Bacup* —5K **31**
Railton Av. *B'brn* —5D **18**
Railway Gro. *B'brn* —5K **13**
Railway Rd. *B'brn* —7H **13**
Railway Rd. *Dar* —4E **26**
Railway Rd. *Has* —1B **28**
Railway St. *Bacup* —5D **30**
Railway St. *Brier* —4C **6**
Railway St. *Burn* —3A **10**
Railway St. *Nels* —1F **7**
Railway Ter. *Brier* —4B **6**
Railway Ter. *Gt Har* —3H **15**
Railway Ter. *Ross* —4F **29**
Railway Vw. *Acc* —2C **22**
Railway Vw. *B'brn* —3E **18**
Railway Vw. *Brier* —3C **6**
(off Wesley St.)
Railway Vw. Av. *Clith* —4E **2**
Railway Vw. Rd. *Clith* —4E **2**
Rake Foot. *Has* —1B **28**
Rakehead La. *Bacup* —5D **30**
Rakes Bri. *Lwr D* —6K **19**
Rakes Ho. Rd. *Nels* —6B **4**
Raleigh St. *Dar* —3C **8**
Ralph St. *Acc* —7D **16**
Ramsbottom St. *Acc* —1C **22**
Ramsbottom St. *Ross* —5A **30**
Ramsey Av. *Bacup* —4J **31**
Ramsey Gro. *Burn* —7D **6**
Ramsey Rd. *B'brn* —4G **19**
Ramsgreave Av. *B'brn* —2G **13**
Ramsgreave Dri. *B'brn* —3F **13**
Ramsgreave Rd. *Rams* —1G **13**
Randall St. *Burn* —1C **10**
Randal St. *B'brn* —6H **13**
Randolph St. *B'brn* —1K **19**
Random Row. *Bacup* —5E **30**
Ranger St. *Acc* —3B **22**
Rankin Dri. *Hodd* —5J **27**
Rannoch Dri. *B'brn* —4C **18**
Ratcliffe Fold. *Has* —2B **28**
Ratcliffe St. *Dar* —4F **27**
Ratcliffe St. *Has* —2B **28**
Raven Av. *Ross* —6B **28**
Raven Cft. *Has* —5B **28**
Ravenglass Clo. *B'brn* —4K **19**
Ravenoak La. *Wors* —5J **11**
Raven Pk. *Has* —5B **28**
Raven Rd. *B'brn* —7E **12**
Ravenscroft Clo. *B'brn* —3K **13**
Ravens Gro. *Burn* —5D **6**
Raven St. *Nels* —7C **4**
Ravenswing Av. *B'brn* —5E **12**
Ravens Wood. *B'brn* —7E **12**
Ravenswood. *Gt Har* —1G **15**
Rawcliffe St. *Burn* —4B **10**
Rawlinson St. *Dar* —7F **27**
Raws Ct. *Burn* —4B **10**
(off Bank Pde.)
Rawson Av. *Acc* —4B **22**
Rawson St. *Burn* —1C **10**
Rawsthorne Av. *Has* —3B **28**
Rawstorne St. *B'brn* —1F **19**
Raw St. *Burn* —4B **10**
(off Bank Pde.)
Rawtenstall Rd. *Has* —4C **28**
Raygill Av. *Burn* —7J **9**
Raynor St. *B'brn* —7G **13**
Ray St. *Brier* —4B **6**
Reading Clo. *B'brn* —1K **19**
Read St. *Clay M* —6B **16**
Rectory Clo. *Dar* —5G **27**
Rectory Clo. *Ross* —4A **30**
Rectory Rd. *Burn* —3A **10**
Redearth Rd. *Dar* —4E **26**
Redearth St. *Dar* —5E **26**
Redgate Clo. *Burn* —7C **10**
Redlam. *B'brn* —2E **18**
Redlam Brow. *B'brn* —2F **19**
Red La. *Col* —2C **4**
Red Lees Av. *Burn* —6G **11**
Red Lees Rd. *Burn* —5F **11**
Red Lion St. *Burn* —5B **10**
Redman Rd. *Burn* —5C **6**
Redness Clo. *Nels* —3F **7**

Red Rake. *B'brn* —5F **13**
Red Rose Ct. *Clay M* —6K **15**
Redruth St. *Burn* —4J **9**
Redscar St. *Col* —5E **4**
Red Shell La. *Osw* —7G **21**
(in two parts)
Red Spar Rd. *Burn* —7E **6**
Redvers Rd. *Dar* —1C **26**
Redvers St. *Burn* —1C **10**
Redwood Dri. *Ross* —5F **29**
Reedfield. *Burn* —5D **6**
Reedley Av. *Nels* —2G **7**
Reedley Dri. *Burn* —5C **6**
(in two parts)
Reedley Gro. *Burn* —6C **6**
Reedley Mt. *Nels* —5D **6**
Reedley Rd. *Brier & Burn* —5C **6**
Reeds Clo. *Ross* —6G **25**
Reedsholme Clo. *Ross* —6G **25**
Reeds La. *Ross* —6G **25**
(in two parts)
Reed St. *Bacup* —2J **31**
Reed St. *Burn* —6B **10**
Reedyford Rd. *Nels* —6A **4**
Reeford Gro. *Clith* —6D **2**
Reeth Way. *Acc* —4A **22**
(off Lynton Rd.)
Regent Av. *Col* —2H **5**
Regent Clo. *Pad* —3B **8**
Regent Pl. *Nels* —6B **4**
Regent Rd. *Chu* —1A **22**
Regent St. *Bacup* —3J **31**
Regent St. *B'brn* —7H **13**
Regent St. *Brier* —4C **6**
Regent St. *Has* —2A **28**
Regent St. *Nels & Col* —7B **4**
Regent St. *Wadd* —1B **2**
Regents Vw. *B'brn* —3H **13**
Reginald St. *Col* —3E **4**
Rendel St. *Burn* —3H **9**
Rennie St. *Burn* —5D **10**
Renshaw St. *Burn* —1C **10**
Reservoir St. *Burn* —6A **10**
Reservoir St. *Dar* —4D **26**
Revidge Rd. *B'brn* —6E **12**
Rewe Clo. *B'brn* —5F **19**
Rexington Bldgs. *Burn* —5H **9**
Reynolds St. *Burn* —7K **9**
Rhoda St. *Nels* —1G **7**
Rhoden Rd. *Osw* —6J **21**
Rhodes Av. *B'brn* —4G **13**
Rhodes Av. *Ross* —6A **28**
Rhuddlan Clo. *Has* —4B **28**
Rhyddings St. *Osw* —4K **21**
Rhyl Av. *B'brn* —5H **13**
Ribble Av. *Burn* —7D **6**
Ribble Av. *Dar* —1C **26**
Ribble Av. *Gt Har* —1K **15**
Ribble Bus. Pk. *B'brn* —7A **14**
Ribble Ho. *B'brn* —7J **13**
(off Primrose Bank)
Ribble La. *Chat* —1K **3**
Ribblesdale Av. *Acc* —7C **16**
Ribblesdale Av. *Clith* —4E **2**
Ribblesdale Av. *Wilp* —1C **14**
Ribblesdale Pl. *Barfd* —3B **4**
Ribblesdale Pl. *B'brn* —7F **13**
Ribblesdale St. *Burn* —2C **10**
Ribble St. *Bacup* —5J **31**
Ribble St. *B'brn* —6H **13**
Ribble St. *Pad* —2C **8**
Ribbleton Dri. *Acc* —7C **16**
Ribble Way. *Clith* —5C **2**
Ribchester Av. *Burn* —5E **10**
Ribchester Rd. *Clay D* —2A **14**
(in two parts)
Ribchester Way. *Brier* —5E **6**
Richard St. *B'brn* —1G **19**
Richard St. *Brier* —4C **6**
Richard St. *Burn* —5C **10**
Richmond Av. *Acc* —3C **22**
Richmond Av. *Burn* —6G **11**
Richmond Av. *Has* —4C **28**
Richmond Cres. *B'brn* —3D **20**
Richmond Hill. *B'brn* —7H **13**
Richmond Hill St. *Acc* —3B **22**
Richmond Ind. Est. *Acc* —3C **22**
Richmond Pk. *Dar* —3E **26**
Richmond Rd. *Acc* —4A **22**
Richmond Rd. *Nels* —1D **6**

Richmonds Ct. *Col* —3H **5**
(off New Ho. St.)
Richmond St. *Acc* —3B **22**
Richmond St. *Burn* —5K **9**
Richmond Ter. *B'brn* —7H **13**
Richmond Ter. *Clith* —6D **2**
Richmond Ter. *Dar* —3E **26**
Rickard Rd. *Nels* —3F **7**
Riddings Av. *Burn* —4G **11**
Ridehalgh St. *Col* —5E **4**
Ridge Av. *Burn* —3D **10**
Ridge Ct. *Burn* —4D **10**
Ridge Rd. *Burn* —4C **10**
Ridge Row. *Burn* —4E **10**
Ridge, The. *Nels* —3F **7**
Ridgeway. *Barfd* —5A **4**
Ridgeway. *Gt Har* —1G **15**
Ridgeway Av. *B'brn* —5K **19**
Ridgeways. *Has* —3C **28**
Ridgeway, The. *Nels* —2E **6**
Riding Barn St. *Chu* —2A **22**
Ridings, The. *Burn* —2J **9**
Riding St. *Burn* —5K **9**
Rifle St. *Has* —3B **28**
Rigby St. *Col* —4F **5**
Rigby St. *Nels* —1E **6**
Rigg St. *Nels* —1F **7**
Riley St. *Acc* —4C **22**
Riley St. *Bacup* —1H **31**
Riley St. *Brier* —4C **6**
Riley St. *Burn* —6C **10**
Rimington Av. *Acc* —5B **22**
Rimington Av. *Burn* —5E **10**
Rimington Av. *Col* —2F **5**
Rimington Clo. *B'brn* —3J **19**
Rimington Pl. *Nels* —7E **4**
Rings St. *Love* —2G **25**
Ringstone Cres. *Nels* —1J **7**
Ringwood Clo. *Acc* —6C **16**
Ripon Rd. *Osw* —3H **21**
Ripon St. *B'brn* —1K **19**
Ripon St. *Nels* —2E **6**
Risedale Gro. *B'brn* —6D **18**
Rishton Golf Course. —1G **21**
Rishton Rd. *Clay M* —4K **15**
Rising Bri. Rd. *Acc & Has*
—5A **24**
River Dri. *Pad* —2C **8**
River Lea Gdns. *Clith* —5F **3**
Riverside. *Clith* —5B **2**
Riverside Mill. *Col* —4E **4**
Riverside Wlk. *Helm* —6A **28**
River St. *Bacup* —4H **31**
River St. *B'brn* —1J **19**
River St. *Col* —4G **5**
River St. *Dar* —3D **26**
River St. *Osw* —5J **21**
River St. *Traw* —5K **5**
Riversway Dri. *Lwr D* —7J **19**
River Vw. *Barfd* —5A **4**
(off River Way)
River Way. *Barfd* —5A **4**
Rivington St. *B'brn* —4A **20**
Roberts St. *Nels* —1G **7**
Roberts St. *Raw* —2G **29**
Robert St. *Acc* —1D **22**
Robert St. *B'brn* —2H **19**
Robert St. *Col* —3H **5**
Robert St. *Dar* —3D **26**
Robert St. *Osw* —5J **21**
Robert St. *Waterf* —3B **30**
Robin Bank Rd. *Dar* —2E **26**
Robin Ho. La. *Brclf* —6K **7**
Robinson La. *Brier* —5A **6**
Robinson St. *B'brn* —5K **13**
Robinson St. *Burn* —1B **10**
Robinson St. *Chat* —1K **3**
Robinson St. *Col* —3F **5**
Robson St. *B'brn* —3C **6**
Rochdale Rd. *Bacup* —4J **31**
Rochester Dri. *Burn* —6D **6**
Rock Bri. Fold. *Ross* —1A **30**
Rockcliffe Av. *Bacup* —4G **31**
Rockcliffe Dri. *Bacup* —4G **31**
Rockcliffe Rd. *Bacup* —4H **31**
Rockcliffe St. *B'brn* —3H **19**
Rockfield Rd. *Acc* —2E **22**
Rockfield St. *B'brn* —2H **19**
Rock Hall Rd. *Has* —1B **28**
Rock La. *Burn* —7C **10**

Rock La. *Traw* —6K **5**
(Church St.)
Rock La. *Traw* —5K **5**
(Keighley Rd.)
Rockliffe. *Ross* —2G **29**
Rockcliffe La. *Bacup* —4J **31**
Rock St. *Clith* —5E **2**
Rock St. *Has* —2B **28**
Rock Ter. *Ross* —5G **25**
Rock Vw. *Ross* —5A **30**
Rockville. *Barfd* —3B **4**
Rockwater Bird Conservation Cen.
—7K **11**
Rockwood Clo. *Burn* —6F **7**
Rodney St. *B'brn* —2F **19**
Roebuck Clo. *B'brn* —2G **19**
Roe Greave Rd. *Osw* —5J **21**
Roe Lee Pk. *B'brn* —2J **13**
Rolleston Rd. *B'brn* —1E **18**
Roman Av. *B'brn* —3K **19**
(in two parts)
Roman Rd. *Hodd* —6J **27**
Roman Rd. W. Ind. Est. *B'brn*
—7K **19**
Roman Way. *Clith* —5F **3**
Rome Av. *Burn* —6H **9**
Romford St. *B'brn* —3H **9**
Romney Av. *Barfd* —5A **4**
Romney Av. *Burn* —7K **9**
Romney St. *Nels* —2E **6**
Romney Wlk. *B'brn* —4B **20**
Ronald St. *B'brn* —3B **20**
Ronald St. *Burn* —5F **9**
Ronaldsway. *Nels* —6E **4**
Ronaldsway Clo. *Bacup* —4J **31**
Roney St. *B'brn* —7F **13**
Rook Hill Rd. *Bacup* —5D **30**
Rook St. *Col* —3G **5**
Rook St. *Nels* —7A **4**
Rooley Moor Rd. *Bacup* —6D **30**
Rooley Vw. *Bacup* —4G **31**
Roseacre Clo. Ross —1B 30
(off Foxhill Dri.)
Roseacre Clo. Ross —4K 29
(off Bacup Rd.)
Rose Av. *Burn* —6K **9**
Rosebank. *Clay M* —4B **16**
Rose Bank. *Ross* —2G **29**
Rosebay Av. *B'brn* —5A **18**
Roseberry St. *Burn* —7C **6**
Rose Cotts. *Brclf* —7H **7**
Rosedale St. Ross —7F 25
(off Holmes, The)
Rosegrove La. *Burn* —5F **9**
Rose Hill. *B'brn* —7K **13**
Rose Hill Av. *B'brn* —1K **19**
Rosehill Av. *Burn* —7K **9**
Rosehill Av. *Nels* —7C **4**
Rosehill Mt. *Burn* —6K **9**
Rosehill Rd. *Burn* —6K **9**
Rosehill Rd. *Col* —6D **6**
Rose Hill St. *Pleas* —4A **18**
Rose Hill St. *Bacup* —3H **31**
Rose Hill St. *Dar* —5F **27**
Rose Hill St. *Ross* —3G **25**
Roseland Av. *Brier* —3D **6**
Rosemount. *Bacup* —1J **31**
Rosemount. *Ross* —4B **30**
Rosemount Av. *Burn* —6K **9**
Rosendale Clo. *Bacup* —2K **31**
Rosendale Cres. *Bacup* —2J **31**
Rose Pl. *Acc* —4C **22**
Rose St. *Acc* —4C **22**
Rose St. *Bacup* —3H **31**
Rose St. *B'brn* —2H **19**
Rose St. *Dar* —4F **27**
Rose St. *Ross* —3A **30**
Rose Va. St. *Ross* —3H **29**
Roseway. *Brier* —2B **6**
Rosewood Av. *B'brn* —3H **13**
Rosewood Av. *Burn* —7K **9**
Rosewood Av. *Has* —2C **28**
Rosewood Bus. Pk. *B'brn*
—4H **13**
Rosewood Clo. Burn —5F 9
(off Owen St.)
Rossall Clo. *Pad* —4C **8**
Rossall Ter. *B'brn* —4H **19**
Rossendale Av. *Burn* —7J **9**

Rossendale Golf Course. —6B **28**
Rossendale Mus. —3E **28**
Rossendale Rd. *Burn* —5G **9**
Rossendale Rd. Ind. Est. *Burn*
—6G **9**
Rosser Ct. *Nels* —1F **7**
Rossetti Av. *Burn* —7A **10**
Ross St. *Brier* —4C **6**
Ross St. *Dar* —7E **26**
Rostron's Bldgs. Ross —4K 29
(off Bacup Rd.)
Rothesay Rd. *B'brn* —6B **20**
Rothesay Rd. *Brier* —3D **6**
Rothwell Av. *Acc* —4D **22**
Rough Hey. *Acc* —6A **22**
Roughlee Gro. *Burn* —5E **10**
Rough Lee Rd. *Acc* —4D **22**
Roughlee St. *Barfd* —6A **4**
Roundel St. *Burn* —7C **6**
Roundhill La. *Has* —6A **24**
Roundhill Vw. *Acc* —4A **24**
Roundwood Av. *Burn* —5B **6**
Rowan Av. *Acc* —6J **21**
Rowan Clo. *B'brn* —3K **13**
Rowan Gro. *Burn* —4D **10**
Rowan Tree Clo. *Acc* —1F **23**
Rowen Pk. *B'brn* —4E **12**
Rowland Av. *Nels* —1H **7**
Rowland St. *Acc* —3B **22**
Royal Ct. *Brclf* —6G **7**
Royal Oak Av. *B'brn* —3H **13**
Royds Av. *Acc* —4D **22**
Royds Rd. *Bacup* —6C **30**
Royds St. *Acc* —3D **22**
Royle Rd. *Burn* —3A **10**
(in three parts)
Royshaw Av. *B'brn* —4H **13**
Royshaw Clo. *B'brn* —4H **13**
Ruby St. *B'brn* —2J **13**
Rudd St. *Has* —2A **28**
Rudyard Dri. *Dar* —5H **27**
Rugby Av. *Acc* —7D **16**
Rupert St. *Nels* —2D **6**
Rushbed Dri. *Ross* —6G **25**
Rushes Farm Clo. *Osw* —5H **21**
Rushey Clo. *Raw* —6G **25**
Rushton Clo. *Nels* —6E **4**
Rushton St. *Bacup* —5G **31**
Rushton St. *Barfd* —5A **4**
Rushton St. *Gt Har* —3G **15**
Rushworth St. *Burn* —1C **10**
Rushworth St. E. *Burn* —1C **10**
Rushy Fld. *Clay M* —2A **16**
Ruskin Av. *Col* —2G **5**
Ruskin Av. *Osw* —3H **21**
Ruskin Av. *Pad* —3D **8**
Ruskin Gro. *Hap* —6B **8**
Ruskin Pl. *Nels* —6C **4**
Ruskin St. *Burn* —7B **6**
Russell Av. *Col* —2H **5**
Russell Ct. *Burn* —6C **10**
Russell Pl. *Gt Har* —2G **15**
Russell St. *Acc* —3D **22**
Russell St. *Bacup* —1H **31**
Russell St. *B'brn* —2H **19**
Russell St. *Nels* —1E **6**
Russell Ter. *Pad* —3C **8**
Russia St. *Acc* —2A **22**
Ruthin Clo. *B'brn* —5H **13**
Rutland Av. *B'brn* —4D **20**
Rutland Av. *Burn* —4F **9**
Rutland Clo. *Clay M* —4A **16**
Rutland Pl. *Pad* —3C **8**
Rutland St. *Acc* —3A **22**
Rutland St. *B'brn* —2E **18**
Rutland St. *Col* —3J **5**
Rutland St. *Nels* —7B **4**
Rutland Wlk. *Has* —5A **28**
Ryburn Av. *B'brn* —5D **12**
Rycliffe St. *Pad* —1B **8**
Rydal Av. *Dar* —5E **26**
Rydal Clo. *Acc* —6E **16**
Rydal Clo. *Burn* —5D **6**
Rydal Clo. *Pad* —1B **8**
Rydal Pl. *Col* —3K **5**
Rydal Rd. *B'brn* —5K **13**
Rydal Rd. *Has* —5C **28**
Rydal St. *Burn* —7B **6**
Ryde Clo. *Has* —4C **28**
Ryden Rd. *B'brn* —2A **14**

Ryefield Av. *Has* —3B **28**
Ryefield Av. W. *Has* —3A **28**
Ryefield Pl. *Has* —3B **28**
Rye Gdns. *B'brn* —7G **19**
Rye Gro. *Pad* —3C **8**
Rylands St. *Burn* —1C **10**

Sabden Wlk. *B'brn* —3J **19**
Saccary La. *Mel* —1D **12**
Sackville Gdns. *Brier* —4B **6**
Sackville St. *Brier* —4C **6**
Sackville St. *Burn* —5A **10**
Sackville St. *Nels* —3G **7**
Saddlers M. *Clith* —5E **2**
Sadler St. *Chu* —3K **21**
Sagar Holme Ter. *Ross* —1A **30**
Sagar St. *Nels* —1F **7**
Sahara Fold. B'brn —5K 13
(off Warmden Gdns.)
St Aidans Av. *B'brn* —4F **19**
(in two parts)
St Aidan's Av. *Dar* —5F **27**
St Aidan's Clo. *B'brn* —4F **19**
St Alban's Clo. *B'brn* —6J **13**
St Alban's Rd. *Dar* —2C **26**
St Albans Rd. *Rish* —7F **15**
St Andrews Clo. *Col* —5F **5**
St Andrews Clo. *Osw* —4J **21**
St Andrews Clo. *Osw* —5J **21**
St Andrew's Pl. *B'brn* —6G **13**
St Andrew's St. *B'brn* —6G **13**
St Andrew's St. *Burn* —1C **10**
St Annes Clo. *B'brn* —2J **19**
St Anne's Clo. Chu —3K 21
(off Blackpool St.)
St Anne's Cres. *Ross* —2B **30**
St Anne's St. *Pad* —3B **8**
St Ann's Ct. *Clith* —5B **2**
St Anns Sq. *Clith* —5C **2**
St Ann's St. *B'brn* —2H **19**
St Barnabas St. *B'brn* —7F **13**
St Barnabas St. *Dar* —7F **27**
St Bede's Pk. *Dar* —1C **26**
St Bee's La. *B'brn* —4J **19**
St Cecilia St. *Gt Har* —2J **15**
(in two parts)
St Charles Rd. *Rish* —6F **15**
St Clements Clo. *B'brn* —4A **20**
St Clements St. *Barfd* —5A **4**
St Clement St. *B'brn* —3A **20**
St Crispin Way. *Has* —3A **28**
St Cuthbert's Clo. *Dar* —2C **26**
St Cuthbert St. *Burn* —7C **6**
St David's Av. *B'brn* —6B **18**
St David's Wood. *Acc* —1E **23**
St Denys Cft. *Clith* —4E **2**
St Edmund St. *Gt Har* —2J **15**
St Frances Clo. *B'brn* —2J **19**
St Francis Rd. *B'brn* —3D **18**
St Gabriel's Av. *B'brn* —1J **13**
St George's Av. *B'brn* —4E **18**
St Georges Clo. *Col* —5F **5**
St George's Rd. *Nels* —2G **7**
St Georges Ter. Dar —3D 26
(off Harwood St.)
St Georges Ter. *Ross* —7C **30**
St Giles St. *Pad* —1B **8**
St Giles Ter. Pad —1B 8
(off East St.)
St Helens Clo. *Osw* —5A **22**
St Helier Clo. *B'brn* —5H **13**
St Hubert's Rd. *Gt Har* —3H **15**
St Hubert's St. *Gt Har* —2J **15**
St Ives Rd. *B'brn* —4C **20**
St James Clo. *Chu* —1K **21**
St James Clo. *Has* —2B **28**
St James Ct. *B'brn* —5H **13**
St James Cres. *Dar* —3F **27**
St James M. *Chu* —1K **21**
St James Pl. *Pad* —2C **8**
St James' Rd. *Chu* —1K **21**
St James Row. *Ross* —2G **29**
St James's La. Burn —4B 10
(off St James Row)
St James's Pl. B'brn —5H 13
(off St James's Rd.)
St James Sq. *Bacup* —2H **31**
St James's Rd. *B'brn* —5H **13**
St James's Row. *Burn* —4B **10**

St James's St. *Burn* —4A **10**
(in two parts)
St James's St. *Acc* —3C **22**
St James St. *Bacup* —3H **31**
St James St. *B'brn* —4F **19**
St James St. *Brier* —4C **6**
St James St. *Clith* —6E **2**
St James St. *Raw* —2G **29**
St James' St. *Waterf* —5A **30**
St John's. *B'brn* —6G **13**
St John's Av. *Dar* —5F **27**
St John's Clo. *Acc* —6F **23**
St John's Clo. *Craw* —5G **25**
St John's Ct. *Bacup* —2H **31**
St Johns Ct. Burn —4H 9
(off Gannow La.)
St John's Pl. *Nels* —1H **7**
St John's Rd. *Burn* —4H **9**
St John's Rd. *Pad* —4B **8**
St John's St. *Dar* —5F **27**
St John's St. *Gt Har* —3H **15**
St John's St. *Ross* —5B **30**
St John St. *Bacup* —2H **31**
St Kitts Clo. *Dar* —7H **19**
St Lawrence Av. *B'brn* —4E **12**
St Lawrence St. *Gt Har* —2H **15**
St Leger Ct. Acc —3D 22
(off Plantation St.)
St Leger St. Acc —3D 22
(off Midland St.)
St Leonard's Clo. *Pad* —1B **8**
St Lucia Clo. *Lwr D* —7J **19**
St Margaret's Ct. *B'brn* —3A **20**
St Margaret's Gdns. *Hap* —6B **8**
St Margaret's Way. *B'brn* —3A **20**
St Mark's Pl. *B'brn* —1E **18**
St Mark's Rd. *B'brn* —1E **18**
St Martin's Dri. *B'brn* —5A **18**
St Mary's Clo. *B'brn* —3A **20**
St Mary's Ct. *Clay M* —5A **16**
St Mary's Ct. *Mel* —2B **12**
St Mary's Ct. *Raw* —3F **29**
St Mary's Gdns. *Mel* —2B **12**
St Mary's Ga. *Burn* —5C **10**
St Mary's Pl. *Ross* —3F **29**
St Mary's St. *Clith* —4E **2**
St Mary's St. *Nels* —1D **6**
St Mary's Ter. *Ross* —3G **29**
St Mary's Way. *Ross* —3G **29**
St Mary's Wharf. *B'brn* —3F **19**
St Matthew's Ct. Burn —5K 9
(off Harriet St.)
St Matthew's Ct. Burn —5J 9
(off Colin St.)
St Matthew St. *Burn* —5K **9**
St Michael's Clo. *B'brn* —6B **18**
(in two parts)
St Michael's St. *B'brn* —6J **13**
St Michael's St. *B'brn* —5J **13**
St Nicholas Rd. *Chu* —1A **22**
St Oswald's Clo. *B'brn* —4D **20**
St Oswald's Rd. *B'brn* —4D **20**
St Paul's Av. *B'brn* —7G **13**
St Pauls Clo. *Clith* —5C **2**
St Pauls Ct. *Burn* —5A **10**
St Paul's Ct. Osw —4K 21
(off Union Rd.)
St Paul's Rd. *Nels* —2E **6**
St Paul's Rd. *Rish* —6F **15**
St Paul's Rd. *B'brn* —7G **13**
St Paul's St. *Clith* —5C **2**
St Paul's St. *Osw* —4K **21**
St Pauls Ter. *Clith* —5C **2**
St Paul's Ter. *Hodd* —3J **27**
St Peter's Av. *Has* —3B **28**
St Peter's Clo. *Dar* —5F **27**
St Peter's Pl. *B'brn* —3B **28**
St Peter's Rd. *Ross* —3A **30**
St Peter St. *B'brn* —1G **19**
St Peter St. *Rish* —6F **15**
St Philip's St. *B'brn* —2E **18**
St Philip St. *Burn* —1B **10**
St Phillips St. *Nels* —7B **4**
St Saviours Ct. Bacup —4H 31
(off Park Rd.)
St Silas's Rd. *B'brn* —7E **12**
St Stephen's Rd. *B'brn* —5K **13**
St Stephen's St. *B'brn* —5K **13**
St Stephen's St. *Burn* —6C **10**

Tennis St. *Burn* —2B **10**
Tennyson Av. *Osw* —4H **21**
Tennyson Av. *Pad* —3D **8**
Tennyson Pl. *Gt Har* —3G **15**
Tennyson Rd. *Col* —3F **5**
Tennyson St. *Brclf* —6G **7**
Tennyson St. *Burn* —5J **9**
Tennyson St. *Hap* —6B **8**
Tenterfield St. *Ross* —5B **30**
Tenterheads. *Ross* —6B **30**
Terry St. *Nels* —6D **4**
Tetbury Clo. *B'brn* —5B **18**
Tewkesbury Clo. *Acc* —5F **23**
Tewkesbury St. *B'brn* —4E **18**
Thames Av. *Burn* —6D **6**
Thirlmere Av. *Burn* —7B **6**
Thirlmere Av. *Col* —2J **5**
Thirlmere Av. *Has* —5C **28**
Thirlmere Av. *Pad* —1B **8**
Thirlmere Clo. *Acc* —6E **16**
Thirlmere Clo. *B'brn* —6J **13**
Thirlmere Dri. *Dar* —3G **27**
Thirlmere Rd. *Burn* —5F **11**
Thirlmere Way. *Ross* —3G **25**
Thistlemount Av. *Ross* —4B **30**
Thistle St. *Bacup* —3H **31**
Thomas St. *B'brn* —1G **19**
Thomas St. *Burn* —5B **10**
Thomas St. *Col* —4F **5**
Thomas St. *Has* —2A **28**
Thomas St. *Nels* —4B **6**
(Clitheroe Rd.)
Thomas St. *Nels* —2F **7**
(Duerden St.)
Thomas St. *Osw* —5J **21**
Thompson St. *B'brn* —1F **19**
Thompson St. *Dar* —6F **27**
Thompson St. *Pad* —2B **8**
Thompson St. Ind. Est. *B'brn*
(off Thompson St.) —1F **19**
Thorn Bank. *Bacup* —3J **31**
Thornber Clo. *Burn* —1D **10**
Thornber St. *B'brn* —2F **19**
Thorncliffe Dri. *Dar* —5H **27**
Thorn Clo. *Bacup* —3J **31**
Thorn Cres. *Bacup* —3J **31**
Thorn Dri. *Bacup* —3J **31**
Thorne St. *Nels* —6D **4**
Thorneybank Ind. Est. *Hap* —5K **17**
Thorneybank St. *Burn* —5A **10**
Thorneyholme Rd. *Acc* —1D **22**
Thornfield Av. *Ross* —4A **30**
Thorn Gdns. *Bacup* —3J **31**
Thorn Gro. *Col* —2J **5**
Thornhill Av. *Rish* —7F **15**
Thorn Hill Clo. *B'brn* —7K **13**
Thornhill St. *Burn* —4F **9**
Thornley Av. *B'brn* —2B **20**
Thorn St. *Bacup* —3J **31**
Thorn St. *Burn* —2B **10**
Thorn St. *Clith* —5D **2**
Thorn St. *Gt Har* —1J **15**
Thorn St. *Ross* —7F **25**
Thornton Clo. *Acc* —7B **16**
Thornton Clo. *B'brn* —5J **19**
Thornton Cres. *Burn* —5F **11**
Thornton Rd. *Burn* —5F **11**
Thornwood Clo. *B'brn* —3H **13**
Throstle Clo. *Burn* —3B **10**
Throstle St. *B'brn* —5H **13**
Throstle St. *Nels* —7B **4**
Throup Pl. *Nels* —6B **4**
Thursby Pl. *Nels* —6C **4**
Thursby Rd. *Burn* —1C **10**
Thursby Rd. *Nels* —6C **4**
Thursby Sq. *Burn* —2B **10**
Thursby St. *Burn* —1C **10**
Thursden Av. *Brclf* —6G **7**
Thursden Pl. *Nels* —7E **4**
Thursfield Rd. *Burn* —5C **10**
Thurston St. *Burn* —4C **10**
Thwaites Av. *Mel* —2B **12**
Thwaites Rd. *Osw* —5H **21**
Thwaites St. *Osw* —5H **21**
Tiber Av. *Burn* —6H **9**
Timber St. *Acc* —3D **22**
Timber St. *Bacup* —4H **31**
Timber St. *Brier* —3C **6**
Tinedale Vw. *Pad* —1C **8**
Tintern Clo. *Acc* —6F **23**

Tintern Cres. *B'brn* —7A **14**
Tippet Clo. *B'brn* —4K **19**
Tiverton Dri. *B'brn* —5F **19**
Tiverton Dri. *Brclf* —6G **7**
Tockholes Rd. *Dar* —3C **26**
Todd Carr Rd. *Ross* —4B **30**
Todd Hall Rd. *Has* —2A **28**
Toddy Fold. *B'brn* —3H **13**
Todmorden Old Rd. *Bacup* —2J **31**
Todmorden Rd. *Bacup* —2J **31**
Todmorden Rd. *Brclf* —6H **7**
Todmorden Rd. *Burn* —5C **10**
Toll Bar Bus. Pk. *Bacup* —5E **30**
Tom La. *Ross* —3B **30**
Tong La. *Bacup* —2J **31**
Tontine St. *B'brn* —7H **13**
Topaz St. *B'brn* —2J **13**
Top Barn La. *Ross* —4K **29**
Top o' th' Cft. *B'brn* —5G **19**
Tor End Rd. *Ross* —7A **28**
Toronto Rd. *B'brn* —4F **13**
Torquay Av. *Burn* —7D **6**
Torridon Clo. *B'brn* —4C **18**
Torver Clo. *Bacup* —2G **9**
Tor Vw. *Ross* —4G **29**
Tor Vw. Rd. *Has* —4C **28**
Tottenham Rd. *Lwr D* —6J **19**
Tottleworth Rd. *B'brn* —4H **15**
Tourist Info. Cen. —2D **22**
(Accrington)
Tourist Info. Cen. —7H **13**
(Blackburn)
Tourist Info. Cen. —5A **10**
(Burnley)
Tourist Info. Cen. —1E **6**
(Nelson)
Tourist Info. Cen. —3G **29**
(off Kay St., Rawtenstall)
Tower Hill. *Clith* —4F **3**
Tower Rd. *B'brn* —3A **18**
Tower Rd. *Dar* —5F **27**
Tower St. *Bacup* —3H **31**
Tower St. *Osw* —3G **21**
Tower Vw. *Dar* —4G **27**
Towneley Av. *Acc* —5G **17**
Towneley Golf Course. —6D **10**
Towneley Hall. —7D **10**
(Art Gallery & Mus.)
Towneley 9 Hole Golf Course.
—6E **10**
Towneley St. *Burn* —1C **10**
Townfield Av. *Burn* —4G **11**
Towngate. *Gt Har* —2H **15**
(off Church St.)
Town Hall Sq. *Gt Har* —2H **15**
(off Blackburn Rd.)
Town Hall St. *B'brn* —7H **13**
Town Hall St. *Gt Har* —2H **15**
(off Curate St.)
Town Hall Bank. *Pad* —1C **8**
Town Ho. Rd. *Nels* —1J **7**
Townley St. *Brclf* —6G **7**
Townley St. *Brier* —4C **6**
Townley St. *Col* —2H **5**
Townsend St. *Has* —2A **28**
Townsend St. *Waterf* —5B **30**
Townsley St. *Nels* —3F **7**
Town Vw. *B'brn* —5H **13**
Town Wlk. *B'brn* —1J **19**
(off Town Vw.)
Trafalgar St. *Burn* —4K **9**
Trans Britannia Enterprise Cen. *Burn*
—7G **9**
Travis St. *Burn* —2B **10**
Trawden Clo. *Acc* —4D **22**
Trawden Hill. *Traw* —6K **5**
(off Colne Rd.)
Tremellen St. *Acc* —2B **22**
Trent Rd. *Nels* —1H **7**
(in two parts)
Tresco Clo. *B'brn* —4E **18**
Trevor Clo. *B'brn* —5H **13**
Trinity Clo. *Pad* —4C **8**
Trinity Ct. *B'brn* —6J **13**
Trinity St. *Bacup* —5E **30**
Trinity St. *B'brn* —7J **13**
Trinity St. *Osw* —5J **21**
Trinity Towers. *Burn* —4K **9**
(off Accrington Rd.)
Troon Av. *B'brn* —5B **20**

Trout Beck. *Clay M* —3A **16**
Troutbeck Clo. *Burn* —2G **9**
Trout St. *Burn* —2B **10**
(off Grey St.)
Troy St. *B'brn* —5J **13**
(in two parts)
Tucker Hill. *Clith* —4E **2**
Tudor Clo. *Dar* —3E **26**
Tunnel St. *Burn* —4J **9**
Tunnel St. *Dar* —3E **26**
Tunstall Dri. *Acc* —6C **16**
Tunstead Cres. *Bacup* —4E **30**
Tunstead La. *Bacup* —4C **30**
(in two parts)
Tunstead Mill Ter. *Bacup* —5D **31**
(off Newchurch Rd.)
Tunstead Rd. *Bacup* —5E **30**
Tunstill Fold. *Fence* —1A **6**
Tunstill Sq. *Brier* —4C **6**
Tunstill St. *Burn* —1C **10**
Turf St. *Burn* —5B **10**
Turkey St. *Acc* —1E **22**
Turncroft Rd. *Dar* —5F **27**
Turner Rd. *Nels* —1C **6**
Turner St. *Bacup* —5E **30**
Turner St. *B'brn* —1F **19**
Turner St. *Clith* —6E **2**
Turney Crook M. *Col* —3G **5**
Turn La. *Dar* —4C **26**
Turnpike. *Ross* —4A **30**
Turnpike Gro. *Osw* —3G **21**
Turton Gro. *Burn* —4D **10**
Turton Hollow Rd. *Ross* —4G **25**
Tuscan Av. *Burn* —5H **9**
Twitter La. *Bas E & Wadd* —3A **2**
Two Gates Dri. *Dar* —3F **27**
Two Gates Wlk. *Dar* —4F **27**
Tynwald Rd. *B'brn* —4H **19**
Tythebarn St. *Dar* —4F **27**

UIdale Clo. *Nels* —3F **7**
Ullswater Av. *Acc* —6E **16**
Ullswater Clo. *B'brn* —6J **13**
Ullswater Clo. *Rish* —6F **15**
Ullswater Rd. *Burn* —5G **11**
Ullswater Way. *Ross* —3G **25**
Ulpha Clo. *Burn* —2G **9**
Ulster St. *Burn* —5J **9**
Ulverston Clo. *B'brn* —4K **19**
Ulverston Dri. *Rish* —6F **15**
Underbank Clo. *Bacup* —2H **31**
Underbank Cotts. *Acc* —5A **24**
Underbank Rd. *Ris B* —5A **24**
Underbank Way. *Has* —2A **28**
Under Billinge La. *B'brn* —1B **18**
Underley St. *Burn* —6D **6**
Union Ct. *Bacup* —5E **30**
(off Old School M.)
Union Rd. *Osw* —5J **21**
Union Rd. *Ross* —3D **28**
Union Sq. *Bacup* —3H **31**
(off Union St.)
Union St. *Acc* —2C **22**
Union St. *Bacup* —5E **30**
(Church St.)
Union St. *Bacup* —3H **31**
(Market St.)
Union St. *B'brn* —2H **19**
Union St. *Brier* —4C **6**
Union St. *Clith* —5C **2**
Union St. *Col* —3H **5**
Union St. *Dar* —4E **26**
Union St. *Has* —2A **28**
Union St. *Raw* —2G **29**
Union Ter. *Raw* —3J **29**
Unity St. *B'brn* —3H **19**
Unity St. *Dar* —4F **27**
Unity Way. *Raw* —2F **29**
Unsworth St. *Bacup* —6F **31**
Up Brooks. *Clith* —4F **3**
(in two parts)
Up Brooks Ind. Est. *Clith* —4G **3**
Up. Ashmount. *Ross* —4J **29**
Up. Cliffe. *Gt Har* —1H **15**

Vale Ct. *Hun* —6G **17**
Va. Rock Gdns. *Hodd* —4K **27**

Vale St. *Bacup* —2J **31**
Vale St. *B'brn* —3H **19**
Vale St. *Dar* —4D **26**
Vale St. *Has* —1B **28**
Vale St. *Nels* —1G **7**
Vale Ter. *Ross* —2B **30**
Valley Centre, The. *Ross* —3G **29**
Valley Clo. *Nels* —7D **4**
Valley Dri. *Pad* —2C **8**
Valley Gdns. *Hap* —6E **8**
Valley Rd. *Wilp* —3B **14**
Valley St. *Burn* —6G **9**
Valli Ga. *B'brn* —1A **20**
Vancouver Cres. *B'brn* —4F **13**
Vardon Rd. *B'brn* —2E **18**
Varley St. *Col* —2H **5**
Varley St. *Dar* —4E **26**
Vaughan St. *Nels* —2G **7**
Vauxhall St. *B'brn* —2E **18**
Veevers St. *Brier* —4B **6**
Veevers St. *Burn* —4A **10**
(off Calder St.)
Veevers St. *Pad* —2C **8**
Venables Av. *Col* —2J **5**
Venice Av. *Burn* —6H **9**
Venice St. *Burn* —5J **9**
Ventnor Rd. *Has* —4C **28**
Venture St. *Alt* —2E **16**
Venture St. *Bacup* —2J **31**
Verax St. *Bacup* —4H **31**
Vernon St. *B'brn* —1H **19**
Vernon St. *Dar* —4F **27**
Vernon St. *Nels* —2F **7**
Verona Av. *Burn* —5H **9**
(off Florence Av.)
Veronica St. *Dar* —1C **26**
Vicarage Av. *Pad* —2A **8**
Vicarage Dri. *Dar* —5G **27**
Vicarage La. *Acc* —7F **23**
Vicarage La. *Wilp* —2A **14**
Vicarage Rd. *Nels* —2E **6**
Vicar St. *B'brn* —7J **13**
Vicar St. *Gt Har* —3H **15**
Victoria Apartments. *Pad* —1B **8**
(off Habergham St.)
Victoria Av. *Bax* —6E **22**
Victoria Av. *B'brn* —4B **18**
Victoria Av. *Brier* —3C **6**
Victoria Bldgs. *Waters* —2J **27**
Victoria Bus. & Ind. Cen. *Acc*
—3C **22**
Victoria Ct. *B'brn* —7H **13**
(off Blackburn Shop. Cen.)
Victoria Ct. *Chat* —1K **3**
Victoria Ct. *Pad* —3D **8**
Victoria Dri. *Has* —3A **28**
Victoria Gdns. *Barfd* —6A **4**
Victoria Ho. *B'brn* —5A **20**
Victoria Pde. *Ross* —5A **30**
Victoria Rd. *Pad* —2C **8**
Victoria St. *Acc* —3C **22**
Victoria St. *Bacup* —5F **31**
Victoria St. *Barfd* —5A **4**
Victoria St. *B'brn* —7H **13**
Victoria St. *Burn* —5A **10**
Victoria St. *Chu* —2K **21**
Victoria St. *Clay M* —5A **16**
Victoria St. *Clith* —6D **2**
Victoria St. *Dar* —4E **26**
Victoria St. *Gt Har* —2J **15**
Victoria St. *Has* —2A **28**
Victoria St. *Nels* —1D **6**
Victoria St. *Osw* —5J **21**
Victoria St. *Raw* —4J **29**
Victoria St. *Rish* —6G **15**
Victoria St. *Ross* —5A **30**
Victoria Way. *Raw* —3J **29**
Victor St. *Clay M* —4A **16**
Victory Cen, The. *Nels* —1F **7**
Victory Clo. *Nels* —1F **7**
View Rd. *Dar* —1C **26**
Viking Pl. *Burn* —5H **9**
Villiers St. *Burn* —5H **9**
Villiers St. *Pad* —3C **8**
Vincent Ct. *B'brn* —5G **19**
Vincent Rd. *Nels* —1G **7**
Vincent St. *B'brn* —5G **19**
Vincent St. *Col* —2J **5**
Vincit St. *Burn* —2C **10**
Vine St. *Acc* —2B **22**

Vine St. *Brier* —4C **6**
Vine St. *Osw* —5H **21**
Violet St. *Burn* —1B **10**
Viscount Av. *Lwr D* —7K **19**
Vivary Way. *Col* —4E **4**
Vulcan St. *Burn* —4A **10**
Vulcan St. *Nels* —7C **4**

Wackersall Rd. *Col* —5E **4**
Waddington Av. *Burn* —4E **10**
Waddington Hospital. *Wadd* —1B **2**
Waddington Rd. *Acc* —1E **22**
Waddington Rd. *Clith* —3D **2**
Waddington Rd. *W Brad* —1D **2**
Waddington St. *Pad* —2C **8**
Waddow Grn. *Clith* —5C **2**
Waddow Gro. *Wadd* —1C **2**
Waddow Vw. *Wadd* —1B **2**
Wade St. *Burn* —1C **8**
Waidshouse Clo. *Nels* —3F **7**
Waidshouse Rd. *Nels* —3F **7**
Wain Ct. *B'brn* —1E **18**
Waingate Clo. *Ross* —2H **29**
Waingate La. *Ross* —2H **29**
Waingate Rd. *Ross* —2H **29**
Walden Rd. *B'brn* —4B **14**
Wales Rd. *Ross* —4B **30**
Wales St. *Ross* —3B **30**
Wales Ter. *Ross* —4B **30**
Walker Av. *Acc* —4B **22**
Walker St. *B'brn* —1J **19**
Walker St. *Clith* —5F **3**
Wallhurst Clo. *Wors* —5J **11**
 (in two parts)
Wallstreams La. *Wors* —5J **11**
Wall St. *Ross* —3A **30**
Walmesley Ct. *Clay M* —6A **16**
Walmsley Av. *Rish* —7F **15**
Walmsley Clo. *Chu* —2K **21**
Walmsley St. *Dar* —3F **27**
Walmsley St. *Gt Har* —2H **15**
Walmsley St. *Rish* —6G **15**
Walney Gdns. *B'brn* —4J **19**
Walnut Av. *Has* —2C **28**
Walnut St. *Bacup* —2H **31**
Walnut St. *B'brn* —5J **13**
Walpole St. *B'brn* —1J **19**
Walpole St. *Burn* —1C **10**
Walsden Gro. *Burn* —4D **10**
Walshaw La. *Burn* —7E **6**
Walshaw St. *Burn* —2C **10**
Walsh St. *B'brn* —3H **19**
Walter St. *Acc* —2B **22**
Walter St. *B'brn* —1K **19**
Walter St. *Brier* —5C **6**
Walter St. *Dar* —7F **27**
Walter St. *Hun* —5F **17**
Walter St. *Osw* —5J **21**
Waltham Clo. *Acc* —5F **23**
Walton Clo. *Bacup* —4J **31**
Walton Cottage Homes. Nels —7D **4**
 (off Broadway Pl.)
Walton Cres. *B'brn* —4K **19**
Walton Dri. *Alt* —1F **17**
Walton La. *Nels* —6C **4**
Walton St. *Acc* —6B **16**
Walton St. *Barfd* —4B **4**
Walton St. *Col* —3G **5**
 (in two parts)
Walton St. *Nels* —7B **4**
Walverden Cres. *Nels* —1G **7**
Walverden Rd. *Brclf* —5J **7**
Walverden Rd. *Brier* —4E **6**
Walverden Ter. *Nels* —2G **7**
Wansfell Rd. *Clith* —6C **2**
Warburton Bldgs. *Has* —4A **28**
Warburton St. *Has* —4A **28**
Warcock La. *Bacup* —2K **31**
Ward Av. *Osw* —5H **21**
Wardle St. *Bacup* —5K **31**
Ward St. *Burn* —4K **9**
Ward St. *Gt Har* —2H **15**
Ward St. *Nels* —1F **7**
Wareham Clo. *Acc* —6C **16**
Wareham St. *B'brn* —5K **13**
Warings, The. *Nels* —3F **7**
Warkworth Ter. Bacup —2J **31**
 (off Venture St.)
Warmden Av. *Acc* —5F **23**

Warmden Gdns. *B'brn* —5K **13**
Warner St. *Acc* —3D **22**
Warner St. *Has* —2B **28**
Warrenside Clo. *B'brn* —4C **14**
Warren, The. *B'brn* —5D **12**
Warrington St. *B'brn* —4K **13**
Warth Old Rd. *Ross* —5A **30**
Warwick Av. *Acc* —1B **22**
Warwick Av. *Clay M* —4A **16**
 (in two parts)
Warwick Av. *Dar* —2C **26**
Warwick Clo. *Chu* —1A **22**
Warwick Dri. *Brier* —4E **6**
Warwick Dri. *Clith* —3F **3**
Warwick Rd. *Pad* —3C **8**
Warwick St. *Chu* —1A **22**
Warwick St. *Has* —2B **28**
Warwick St. *Nels* —2F **7**
Wasdale Av. *B'brn* —5B **20**
Wasdale Clo. *Pad* —1B **8**
Washington St. *Acc* —2D **22**
Waterbarn La. *Bacup* —5D **30**
Waterbarn St. *Burn* —1C **10**
Waterfall Ind. Est. B'brn —3F **19**
 (off Dimmock St.)
Waterfield Av. *Dar* —7F **27**
Waterford St. *Nels* —7C **4**
Waterloo. *Acc* —1C **22**
Waterloo Clo. *B'brn* —5E **18**
Waterloo Rd. *Burn* —5C **10**
 (in two parts)
Waterloo Rd. *Clith* —5F **3**
Waterloo St. *Clay M* —6B **16**
Water Meadows. *B'brn* —6G **19**
Waters Edge. *B'brn* —2J **19**
Waterside Ind. Est. *Col* —4H **5**
Waterside M. *Pad* —2B **8**
Waterside Rd. *Col* —4G **5**
Waterside Rd. *Has* —3A **28**
Waterside Ter. Bacup —2H **31**
 (off Myrtle Bank Rd.)
Waterside Ter. *Waters* —2J **27**
Water St. *Acc* —2D **22**
 (in two parts)
Water St. *Barfd* —4A **4**
Water St. *Clay M* —2A **16**
Water St. *Col* —3H **5**
Water St. *Craw* —4G **25**
Water St. *Gt Har* —2H **15**
Water St. *Hap* —6B **8**
Water St. *Nels* —1F **7**
Water St. *Wors* —5J **11**
Watery La. *Dar* —7F **27**
Watford St. *B'brn* —6H **13**
Watkins St. *B'brn* —5D **6**
Watling Clo. *B'brn* —5K **19**
Watson St. *B'brn* —3E **18**
Watson St. *Osw* —5K **21**
Watt St. *Burn* —3H **9**
Wavell Clo. *Acc* —7G **23**
Wavell St. *Burn* —4H **9**
Waverledge Bus. Pk. *Gt Har* —3G **15**
Waverledge St. *Gt Har* —3H **15**
Waverley Clo. *Brier* —5E **6**
Waverley Pl. *B'brn* —7E **12**
Waverley Rd. *Acc* —5F **23**
Waverley Rd. *Int* —4D **20**
Waverley Rd. *Rams* —4A **14**
Waverley St. *Burn* —4K **9**
Weatherhill Cres. *Brier* —4F **7**
Weavers' Triangle Vis. Cen.
 —5A **10**

Webber Ct. *Burn* —7F **9**
Weber St. *Ross* —4K **29**
Wedgewood Rd. *Acc* —6G **17**
Weir St. *B'brn* —1H **19**
Welbeck Av. *B'brn* —7A **14**
Weldon St. *Burn* —2H **9**
Well Ct. Clith —4F **3**
 (off Causeway Cft.)
Wellesley St. *Burn* —4E **8**
Wellfield. *Clay M* —5B **16**
Wellfield Dri. *Burn* —2H **9**
Wellfield Rd. *B'brn* —6F **13**
Well Fold. *Clith* —5F **3**
Wellgate. *Clith* —5E **2**
Wellington Ct. *Acc* —3D **22**
Wellington Ct. *Burn* —5C **10**
Wellington Fold. *Dar* —4E **26**

Wellington Rd. *B'brn* —2F **19**
Wellington St. *Acc* —3D **22**
Wellington St. *B'brn* —6G **13**
Wellington St. *Clay M* —5A **16**
Wellington St. *Gt Har* —3H **15**
Wellington St. *Nels* —7A **4**
Wells St. *Has* —2B **28**
Well St. *Pad* —1A **8**
Well St. *Rish* —5G **15**
Well St. *Waterf* —2B **30**
Well Ter. *Clith* —4F **3**
Wenning St. *Nels* —2G **7**
Wensley Clo. *Burn* —7K **9**
Wensley Dri. *Acc* —2E **22**
Wensley Rd. *B'brn* —1E **18**
Wesleyan Row. *Clith* —5E **2**
Wesley Gro. *Burn* —4K **9**
Wesley Pl. *Bacup* —4G **31**
Wesley St. *B'brn* —5J **13**
Wesley St. *Brier* —3C **6**
Wesley St. *Chu* —2A **22**
Wesley St. *Osw* —3K **21**
Wesley St. *Pad* —2C **8**
Wessex Clo. *Acc* —7F **17**
Westbourne. *Ross* —5A **28**
Westbourne Av. *Burn* —6J **9**
Westbourne Av. S. *Burn* —7K **9**
W. Bradford Rd. *Clith* —1F **3**
W. Bradford Rd. *Wadd* —1B **2**
Westbury Clo. *Burn* —7F **7**
Westbury Gdns. *B'brn* —4B **20**
Westcliffe. *Gt Har* —1G **15**
Westcliffe Wlk. *Nels* —2E **6**
Westcote St. *Dar* —7F **27**
West Cres. *Acc* —7C **16**
W. End Bus. Pk. *Osw* —3G **21**
Western Av. *Burn* —6K **9**
Western Ct. *Bacup* —5E **30**
Western Rd. *Bacup* —5E **30**
Westfield. *Nels* —7A **4**
West Gdns. Bacup —5D **30**
 (off West Vw.)
Westgate. *Burn* —4K **9**
Westgate Trad. Cen. Burn —4A **10**
 (off Wiseman St.)
West Hill. *Barfd* —4A **4**
W. Leigh Rd. *B'brn* —4F **13**
Westland Av. *Dar* —5D **26**
Westminster Clo. *Acc* —5F **23**
Westminster Clo. *Dar* —2D **26**
Westminster Rd. *Dar* —2C **26**
Westmorland St. *Burn* —5J **9**
Westmorland St. *Nels* —1D **6**
West Pk. Rd. *B'brn* —6F **13**
West St. *Burn* —2D **10**
West St. *Col* —4H **5**
West St. *Gt Har* —3H **15**
West St. *Nels* —7A **4**
West St. *Pad* —2A **8**
West St. *Ross* —5A **30**
West Vw. *B'brn* —1E **18**
West Vw. *Clith* —6D **2**
West Vw. *Has* —1B **28**
West Vw. *Helm* —6A **28**
West Vw. *Osw* —4H **21**
West Vw. *Stac* —5D **30**
West Vw. Waterf —4B **30**
 (off Pleasant Vw.)
W. View Pl. *B'brn* —6E **12**
W. View Rd. *Ross* —1B **30**
 (in two parts)
W. View Ter. *Pad* —3B **8**
Westway. *Burn* —4J **9**
Westwell St. *Dar* —1C **26**
Westwell St. *Gt Har* —2H **15**
Westwood Av. *Rish* —6F **15**
Westwood Ct. *B'brn* —6K **13**
Westwood Rd. *B'brn* —4A **20**
Westwood Rd. *Burn* —2H **9**
Westwood St. *Acc* —1C **22**
Whalley Banks. *B'brn* —1G **19**
Whalley Banks Trad. Est. *B'brn*
 —1G **19**
Whalley Cres. *Dar* —4F **27**
Whalley Dri. *Ross* —1G **29**
Whalley New Rd. *B'brn & Rams*
 —1H **13**
Whalley Old Rd. *B'brn* —6J **13**
Whalley Range. *B'brn* —6H **13**
Whalley Rd. *Clay M & Acc* —6B **16**

Whalley Rd. *Clith* —7D **2**
Whalley Rd. *Read & S'stne* —1A **8**
Whalley Rd. *Wilp* —4B **14**
Whalley St. *B'brn* —6H **13**
Whalley St. *Burn* —1B **10**
Whalley St. *Clith* —5D **2**
Whalley Ter. *Live* —7E **18**
Wham Brook Clo. *Osw* —3G **21**
Wharfedale Av. *Burn* —5C **6**
Wharfedale Clo. *B'brn* —6A **18**
Wharf St. *B'brn* —7J **13**
Wharf St. *Rish* —6H **15**
Wheatfield St. *Rish* —5G **15**
Wheatholme St. *Ross* —3H **29**
Wheatley Clo. *Burn* —3J **9**
Wheatley La. Rd. *Barfd* —5A **4**
Wheat St. *Acc* —2B **22**
Wheat St. *Pad* —3C **8**
Whewell Row. *Osw* —3H **21**
Whinberry Av. *Ross* —4G **29**
Whinberry Vw. *Ross* —3H **29**
Whinfield Pl. *B'brn* —6D **12**
Whinfield St. *Clay M* —6B **16**
Whinney Hill Rd. *Acc & Hun I*
 —6B **16**
Whinney La. *Mel & B'brn* —2D **12**
Whipp Av. *Clith* —6D **2**
Whitaker St. *Acc* —1C **22**
Whitby Dri. *B'brn* —4J **19**
White Acre Rd. *Acc* —6G **23**
White Ash Est. *Osw* —4H **21**
White Ash La. *Osw* —5J **21**
Whitebirk Dri. *B'brn* —7A **14**
Whitebirk Ind. Est. *B'brn* —6B **14**
 (in two parts)
Whitebirk Rd. *B'brn* —2C **20**
White Bull St. Burn —4H **9**
 (off Keith St.)
Whitecroft Av. *Has* —3B **28**
Whitecroft Clo. *Has* —3B **28**
Whitecroft La. *Mel* —2B **12**
Whitecroft Meadows. *Has* —3B **28**
White Cft. Rd. *Acc* —7G **21**
Whitecroft Vw. *Acc* —6F **23**
Whitefield St. *Hap* —6B **8**
Whitefield Ter. Burn —6C **10**
 (off Somerset St.)
Whitegate Clo. *Pad* —3D **8**
Whitegate Gdns. *Pad* —3D **8**
White Gro. *Col* —2F **5**
Whitehall Rd. *B'brn* —5E **12**
Whitehall Rd. *Dar* —7F **27**
Whitehall St. *Nels* —1G **7**
Whitehaven Clo. *B'brn* —4K **19**
Whitehaven St. *Burn* —5J **9**
Whitehead St. *B'brn* —7F **13**
Whitehead St. *Ross* —2G **29**
Whitehough Pl. *Nels* —7E **4**
White Lee Av. *Traw* —6K **5**
Whiteley Av. *B'brn* —4D **18**
Whiteley St. *Has* —4C **28**
Whitendale Cres. *B'brn* —2J **19**
White Rd. *B'brn* —6E **12**
White St. *Burn* —4G **9**
White St. *Col* —5E **4**
Whitewalls Clo. *Col* —5D **4**
White Walls Dri. *Col* —5D **4**
Whitewalls Ind. Est. *Col* —5C **4**
Whitewell Dri. *Clith* —6C **2**
Whitewell Pl. B'brn —6J **13**
 (off Ribble St.)
Whitewell Rd. *Acc* —7E **16**
Whitewell Va. Ross —3B **30**
 (off Burnley Rd.)
Whittaker Clo. *Burn* —2G **9**
Whittaker St. *B'brn* —7F **13**
Whittam Ct. Wors —4J **11**
 (off Showfield)
Whittam St. *Burn* —5A **10**
Whittle Clo. *Clith* —4F **3**
Whittles St. *Bacup* —5K **31**
Whittle St. *Has* —3A **28**
Whittle St. *Raw* —2G **29**
Whittycroft Av. *Barfd* —2B **4**
Whittycroft Dri. *Barfd* —2B **4**
Wicken Gro. *Ross* —4G **25**
Wickliffe St. *Nels* —7B **4**
Wickworth St. *Nels* —2G **7**
Widow Hill Ct. *Burn* —1E **10**
Widow Hill Rd. *Burn* —1D **10**

Wilfield St. *Burn* —4K **9**
Wilfred St. *Acc* —4D **22**
Wilkie Av. *Burn* —7A **10**
Wilkin Bri. *Clith* —5E **2**
Wilkinson St. *Burn* —6E **6**
Wilkinson St. *Has* —1B **28**
Wilkinson St. *Nels* —5A **4**
Wilkin Sq. *Clith* —5E **2**
Willaston Av. *Black* —1B **4**
William Griffiths Ct. *B'brn* —3E **18**
(off Mill Hill Bri. St.)
William Herbert St. *B'brn* —6J **13**
William Hopwood St. *B'brn* —1K **19**
Williams Pl. *Nels* —1G **7**
Williams Rd. *Burn* —1C **10**
William St. *Acc* —1D **22**
William St. *Bacup* —5K **31**
William St. *B'brn* —3H **19**
William St. *Brier* —3C **6**
William St. *Clay M* —6B **16**
William St. *Col* —4H **5**
William St. *Dar* —4E **26**
William St. *Nels* —1F **7**
Willis Rd. *B'brn* —3C **18**
Willis St. *Burn* —5K **9**
Willoughby St. *B'brn* —6H **13**
Willow Av. *Ross* —1G **29**
Willow Bank. *Dar* —7E **26**
Willow Bank La. *Dar* —4D **26**
Willow Brook. *Acc* —2C **22**
Willow Clo. *Clay M* —4K **15**
Willow Mt. *B'brn* —1J **13**
Willow Pk. *Osw* —6H **21**
Willows La. *Acc* —3B **22**
Willow St. *Acc* —2C **22**
Willow St. *B'brn* —5K **13**
Willow St. *Burn* —4K **9**
Willow St. *Clay M* —4K **15**
Willow St. *Dar* —4D **26**
Willow St. *Gt Har* —3H **15**
Willow St. *Has* —2B **28**
Willow St. *Ross* —5A **30**
Willow Tree Av. *Ross* —3E **28**
Willow Trees Dri. *B'brn* —4F **13**
Wilmore Clo. *Col* —3F **5**
Wilpshire Bank. *Wilp* —4B **14**
Wilpshire Golf Course. —3C **14**
Wilson St. *B'brn* —3G **19**
Wilson St. *Clith* —6D **2**
Wilton St. *Barfd* —5A **4**
Wilton St. *Brier* —4C **6**
Wilton St. *Burn* —1C **10**
Wiltshire Av. *Burn* —3G **9**
Wiltshire Dri. *Has* —5B **28**
Wilworth Cres. *B'brn* —3H **13**
Wimberley Banks. B'brn —5J 13
(off Wimberley St.)
Wimberley Gdns. *B'brn* —6H **13**
Wimberley Pl. *B'brn* —6H **13**
Wimberley St. *B'brn* —6H **13**
Winchester Av. *Acc* —1D **22**
Winchester Rd. *Pad* —4C **8**
Winchester St. *B'brn* —2K **19**
Winckley Rd. *Clay M* —5A **16**
Windermere Av. *Acc* —6E **16**
Windermere Av. *Burn* —7B **6**
Windermere Av. *Clith* —6C **2**
Windermere Av. *Col* —2J **5**

Windermere Clo. *B'brn* —6J **13**
Windermere Dri. *Dar* —2G **27**
Windermere Dri. *Rish* —6F **15**
Windermere Rd. *Bacup* —2J **31**
Windermere Rd. *Pad* —1B **8**
Windsor Av. *Chu* —7B **16**
Windsor Av. *Clith* —6C **2**
Windsor Av. *Helm* —4A **28**
Windsor Av. *Ross* —4A **30**
Windsor Clo. *B'brn* —5A **20**
Windsor Rd. *B'brn* —3D **20**
(Blackburn Rd.)
Windsor Rd. *B'brn* —6E **12**
(Revidge Rd.)
Windsor Rd. *Dar* —2D **26**
Windsor Rd. *Gt Har* —2J **15**
Windsor St. *Acc* —2D **22**
Windsor St. *Burn* —4H **9**
Windsor St. *Col* —3H **5**
Windsor St. *Nels* —2G **7**
Windy Bank. *Col* —3H **5**
Winmarleigh St. *B'brn* —4B **20**
Winmarleigh Wlk. *B'brn* —4A **20**
Winnipeg Clo. *B'brn* —4E **12**
Winsford Wlk. *Burn* —5G **9**
Winster Ct. *Clay M* —5K **15**
Winston Rd. *B'brn* —5G **13**
Winterburn Rd. *B'brn* —6F **19**
Winterley Dri. *Acc* —6F **17**
Winterton Rd. *Dar* —3E **26**
Winward Clo. *Lwr D* —7J **19**
Wiseman St. *Burn* —4K **9**
Wisteria Dri. *Lwr D* —6K **19**
Wiswell Clo. *Burn* —7F **7**
Wiswell Clo. *Ross* —1G **29**
Withers St. *B'brn* —1J **19**
Within Gro. *Acc* —6E **16**
Witney Av. *B'brn* —5B **18**
Wittlewood Dri. *Acc* —6C **16**
Witton Country Pk. & Vis. Cen.
—2C **18**
Witton Pde. *B'brn* —2F **19**
Woburn Clo. *Acc* —5F **23**
Wolfenden Grn. *Ross* —5B **30**
Wolseley St. *B'brn* —4G **19**
Woodale Laithe. *Barfd* —5A **4**
Wood Bank. *Ross* —7A **28**
Woodbank Av. *Dar* —3C **26**
Woodbine Gdns. *Burn* —3G **9**
Woodbine Rd. *B'brn* —6E **12**
Woodbine Rd. *Burn* —4H **9**
Woodburn Clo. *B'brn* —4D **12**
Woodbury Av. *B'brn* —3G **19**
Wood Clough Flats. *Brier* —4B **6**
Woodcourt Av. *Burn* —7J **9**
Woodcrest. *Wilp* —3B **14**
Woodcroft Av. *Ross* —7F **25**
Woodcroft St. *Ross* —7F **25**
Wood End. *Burn* —6A **6**
Woodfield Av. *Acc* —5E **22**
Woodfield Ter. *Brier* —4D **6**
Woodfold Pl. *B'brn* —7E **12**
Woodgates Rd. *B'brn* —7B **12**
Woodgrove Rd. *Burn* —7C **10**
Woodhead Clo. *Ross* —4C **30**
Woodhouse St. *Burn* —6C **10**
Woodland Av. *Bacup* —1H **31**
Woodland Dri. *Clay M* —2A **16**

Woodland Mt. *Bacup* —5E **30**
Woodland Pl. *Lwr D* —6J **19**
Woodlands Av. *B'brn* —4B **18**
Woodlands Gro. *Dar* —3B **26**
Woodlands Gro. *Pad* —2A **8**
Woodlands Rd. *Nels* —1G **7**
Woodland Ter. *Bacup* —1H **31**
Woodland Vw. *Bacup* —1H **31**
Woodland Vw. *Gt Har* —1H **15**
Wood Lea Bank. Ross —5B 30
(off Wood Lea Rd.)
Woodlea Gdns. *Brier* —4E **6**
Woodlea Rd. *B'brn* —4A **20**
Wood Lea Rd. *Ross* —5A **30**
Woodley Av. *Acc* —4D **22**
Wood Nook. *Ross* —5G **25**
Woodpecker Hill. Burn —5H 9
(off Nightingale Cres.)
Woodplumpton Rd. *Burn* —7A **10**
Woodsend Clo. *B'brn* —5K **19**
Woodside. *Has* —3C **28**
Woodside Av. *Rish* —7E **14**
Woodside Clo. *Acc* —6G **17**
Woodside Cres. *Ross* —4K **29**
Woodside Gro. *B'brn* —5D **18**
Woodside Rd. *Acc* —7F **17**
(Bolton Av., in two parts)
Woodside Rd. *Acc* —6G **17**
(Sutton Cres.)
Woodside Ter. *Nels* —1D **6**
Woodside Way. *Clay M* —3A **16**
Woodsley St. *Burn* —5G **9**
Woodstock Cres. *B'brn* —5B **18**
Wood St. *Brier* —4C **6**
Wood St. *Burn* —2B **10**
Wood St. *Col* —4H **5**
Wood St. *Dar* —3D **26**
(Alexandra Rd.)
Wood St. *Dar* —4D **26**
(Vale Rd.)
Wood St. *Gt Har* —2K **15**
Wood St. *Hap* —6B **8**
Wood St. *Osw* —3K **21**
Wood Ter. *Chat* —1K **3**
Woodvale. *Dar* —4D **26**
Wood Vw. *B'brn* —4C **18**
Woodville Rd. *B'brn* —5K **13**
Woodville Rd. *Brier* —3C **6**
Woodville Ter. *Dar* —7F **27**
Wooley La. *Acc* —5G **23**
Woolwich St. *B'brn* —3A **20**
Woone La. *Clith* —7D **2**
Worcester Av. *Acc* —1B **22**
Worcester Rd. *B'brn* —3B **20**
Wordsworth Av. *Pad* —3D **8**
Wordsworth Clo. *Osw* —4H **21**
Wordsworth Dri. *Gt Har* —2G **15**
Wordsworth Gdns. *Dar* —4F **27**
Wordsworth Rd. *Acc* —5B **22**
Wordsworth Rd. *Col* —3G **5**
Wordsworth St. *Brclf* —7G **7**
Wordsworth St. *Burn* —4H **9**
Wordsworth St. *Hap* —6B **8**
Worsley Ct. *Osw* —4K **21**
Worsley St. *Acc* —4E **22**
Worsley St. *Ris B* —5A **24**
Worston Clo. *Acc* —4A **22**
Worston Clo. *Ross* —1G **29**

Worston La. *Gt Har* —1K **15**
Worston Pl. *B'brn* —7E **12**
Worston Rd. *Chat* —2J **3**
Worswick Cres. *Ross* —3G **29**
Wraith St. *Dar* —5E **26**
Wren St. *Burn* —4H **9**
Wren St. *Nels* —1G **7**
Wroxham Clo. *B'brn* —7E **6**
Wycollar Clo. *Acc* —4D **22**
Wycollar Dri. *B'brn* —6D **12**
Wycollar Rd. *B'brn* —6D **12**
Wycoller Av. *Burn* —5E **10**
Wyfordby Av. *B'brn* —5C **12**
Wynotham St. *Burn* —7C **6**
Wyre Cres. *Dar* —2B **26**
Wyresdale Av. *Acc* —7B **16**
Wyre St. *Pad* —2C **8**
Wytham St. *Pad* —3C **8**
Wythburn Av. *B'brn* —5B **18**
Wythburn Clo. *Burn* —2G **9**

Y
Yare St. *Ross* —5B **30**
Yarmouth Av. *Has* —3C **28**
Yarm Pl. *Burn* —4B **10**
Yarraville St. *Ross* —3G **29**
Yates Fold. *B'brn* —3J **19**
Yerburgh Rd. *Mel* —2B **12**
Yewbarrow Clo. *Burn* —1H **9**
Yewlands Dri. *Burn* —6C **6**
Yew St. *B'brn* —5K **13**
Yew Tree Clo. *Clay D* —2A **14**
Yew Tree Dri. *B'brn* —4C **12**
Yew Tree Dri. *Osw* —5A **22**
Yew Tree Gro. *Ross* —5F **29**
York Av. *Has* —5A **28**
York Clo. *Clay M* —4A **16**
York Cres. *B'brn* —1J **13**
Yorke St. *Burn* —5A **10**
York Pl. *Acc* —1C **22**
York Rd. *Brier* —4C **6**
Yorkshire St. *Acc* —4D **22**
Yorkshire St. *Bacup* —2H **31**
Yorkshire St. *Burn* —4B **10**
(in two parts)
Yorkshire St. *Hun* —5F **17**
Yorkshire St. *Nels* —1F **7**
York St. *Acc* —1C **22**
York St. *B'brn* —2H **19**
York St. *Chu* —2K **21**
York St. *Clith* —4F **3**
York St. *Col* —3H **5**
York St. *Gt Har* —2J **15**
York St. *Nels* —1G **7**
York St. *Osw* —5H **21**
York St. *Rish* —6G **15**
York St. *Ross* —5G **25**
York Ter. *B'brn* —5A **18**
York Vw. *Live* —7E **18**
Young St. *B'brn* —3E **18**

Z
Zebudah St. *B'brn* —3F **19**
Zechariah Brow. *B'brn* —1E **12**
Zion Rd. *B'brn* —4K **13**
Zion St. *Bacup* —2J **31**
Zion St. *Col* —4G **5**